D1135184

KL JAN 2009

RR Aug 19

Vrij

Martine

Kamphuis

Vrij

Uitgeverij De Arbeiderspers
Amsterdam · Antwerpen

Uitgeverij De Arbeiderspers stelt alles in het werk om op milieuvriendelijke en duurzame wijze met natuurlijke bronnen om te gaan. In samenspraak met leveranciers en drukkers gaat De Arbeiderspers daarom gefaseerd over op het gebruik van papier dat het keurmerk van de Forest Stewardship Council (FSC) mag dragen. Bij dit papier is het zeker dat de productie niet tot bosvernietiging heeft geleid. Een flink deel van de grondstof is afkomstig uit bossen en plantages die worden beheerd volgens de regels van FSC. Van het andere deel van de grondstof is vastgesteld dat hiervoor geen houtkap in de laatste resten waardevol oerbos heeft plaatsgevonden. Daarom mag dit papier het FSC Mixed Sources-label dragen. Voor dit boek is het FSC-gecertificeerde Munkenprint gebruikt. Dit papier is 100% chloor- en zwavelvrij gebleekt en wordt geleverd door Arctic Paper Munkedals AB, Zweden.

Eerste druk mei 2006
Tweede druk mei 2006

Copyright © 2006 Martine Kamphuis

Niets uit deze uitgave mag worden verveelvoudigd en/of openbaar gemaakt, door middel van druk, fotokopie, microfilm of op welke andere wijze ook, zonder voorafgaande schriftelijke toestemming van BV Uitgeverij De Arbeiderspers, Herengracht 370-372, 1016 CH Amsterdam. *No part of this book may be reproduced in any form, by print, photoprint, microfilm or any other means, without written permission from BV Uitgeverij De Arbeiderspers, Herengracht 370-372, 1016 CH Amsterdam.*

Omslagontwerp: Bram van Baal
Foto omslag: © Royalty-Free / Corbis

ISBN 90 295 6401 6 / NUR 301
www.arbeiderspers.nl

Zaterdag 1 juni

Van het ene op het andere moment was het er, vanochtend. Alsof iemand ergens in een controlekamer een schakelaar had omgezet waardoor alles anders werd, even definitief als het breken van een glas dat in een onbewaakt ogenblik uit je handen glijdt, waarbij je al vóór het de grond raakt weet dat het onherstelbaar uit elkaar zal spatten.

Eigenlijk vreemd, er gebeurde niet zo veel bijzonders. Henry was onuitstaanbaar, maar dat is niet nieuw. Dat is hij al twintig jaar.

Vanochtend was ik met koffie op weg naar zijn werkkamer, toen de telefoon ging. Het was de loodgieter, die maandag zou komen om de wastafel in de badkamer te vervangen, daar zit een barst in. De loodgieter belde om te zeggen dat hij door zijn rug was gegaan en dat hij op zijn vroegst over een maand zou kunnen komen.

Toen ik even later de koffie op Henry's bureau zette, vroeg hij wie er gebeld had en ik vertelde hem het verhaal. Hij ontplofte ter plekke. Volgens hem was het onzin van die rug, de loodgieter had gewoon een lucratievere klus en ik had me als een onnozele geit laten afschepen. Tot overmaat van ramp had ik – terwijl ik die nonsens als zoete koek stond te slikken – zijn koffie koud laten worden! Hij pakte het kopje met schotel en al op en gooide het naar me toe. Ik zag het in slowmotion door de lucht vliegen, het witte schoteltje met het gouden randje buitelde om zijn as, de koffie vloog als een grillig bruin projectiel vóór het kopje uit.

De koffie, die op mijn buik terechtkwam, bleek nog heet genoeg om pijn te doen.

Het kopje vloog langs me heen, viel op de grond en brak, één tel later gevolgd door het schoteltje.

'Moet je nou eens kijken,' zei Henry, terwijl ik daar stond, tussen de scherven, een bruine vlek op mijn bloes, 'moet je nou eens kijken, wéér een kopje van mamma's servies aan gruzelementen!'

Zijn gezicht was rood aangelopen en terwijl hij sprak vlogen er spetters uit zijn mond.

Ik keek naar hem en het was alsof ik hem honderd keer zag, duizend keer. Duizend beelden van datzelfde boze hoofd, tienduizenden giftige spetters werden één groot, weerzinwekkend beeld. En opeens wist ik dat het moest stoppen. Dat ik er een eind aan moest maken.

Het is raar, dat ik uitgerekend vandaag tot dit besluit kom, want wat er gebeurde was niet meer dan de zoveelste variatie op eenzelfde thema. Deze vorm, het gooien met koffie, is bij lange na niet het ergste wat ik de afgelopen twintig jaar met hem heb meegemaakt. Als ik zou proberen de manieren waarop hij over grenzen is gegaan op te sommen, zou ik weken werk hebben.

Dat kopje koffie stelde eigenlijk niets voor. Toch was het de druppel.

*

Zondag 2 juni

Een bizarre dag.

We hadden geen plannen om ergens naar toe te gaan en het regende, dus zelfs een spontaan blokje om zat er niet in. We waren de hele dag samen, weliswaar niet steeds in dezelfde ruimte, maar dat maakt niet uit, ik kan me niet ontspannen als hij thuis is. Al ligt hij te slapen, al is hij uren bezig in zijn werkkamer, de wetenschap dat hij in de buurt is, is genoeg om me gespannen te maken.

Vandaag was dat ook zo.

Toch was het anders.

Vandaag kwam er een prettig soort spanning bij. In gedachten was ik voortdurend bezig met mijn besluit, met het bedenken van manieren waarop ik het uit zou kunnen voeren.

Vanochtend, toen hij nog sliep, stelde ik me voor hoe het zou zijn om mijn kussen op zijn gezicht te drukken. Ik zou er met mijn volle gewicht op leunen, in de wetenschap dat iedere seconde zijn dood een stukje dichterbij zou brengen. Bijna had ik het gedaan, alleen het idee dat hij wakker zou kunnen worden hield me tegen. Hij is veel sterker dan ik ben, hij zou me gemakkelijk van zich af kunnen schudden, en dan ben ik nog veel verder van huis.

Later, toen hij in de keuken zat te ontbijten, terwijl ik achter hem mijn eigen bordje opruimde, heb ik het vleesmes vastgepakt. Ik had het zó in zijn rug kunnen steken, het leek me heerlijk om dat te doen. Hem te steken en te steken en te steken, totdat hij niets meer zou zijn dan een bloederige homp rauw vlees op de keukenvloer.

Het ging de hele dag zo door.

In de huiskamer heb ik hem in gedachten de hersens ingeslagen met het smakeloze bronzen beeldje van Aristoteles, dat hij ooit in Athene heeft gekocht. Toen ik hem 's middags koffie ging brengen in zijn werkkamer stond hij voor het raam naar buiten te kijken en ik stelde me voor hoe het zou zijn om hem te duwen, zo hard dat hij dwars door de ruit heen zou vallen en met een bevredigende dreun op de stoep terecht zou komen. Tijdens het koken heb ik met muizengif in mijn handen gestaan. Ik had een Indische rijsttafel gemaakt, flink gekruid, een beter gerecht om mee te rommelen heb ik niet in mijn repertoire.

Toch heb ik behalve fantaseren niets gedaan.

Ik wil niet het risico lopen dat ik betrapt word.

Ik moet een manier bedenken om van hem af te komen zonder dat iemand doorheeft dat ik er iets mee te maken heb. Ik wil niet in de gevangenis terechtkomen. Per slot van rekening heb ik al twintig jaar vastgezeten.

*

Woensdag 5 juni

Soms vallen er in dit leven dingen vanzelf op hun plaats.

Vanmiddag moest ik voor de halfjaarlijkse controle naar de tandarts. Ik meldde me bij de balie en de assistente zocht mijn gegevens op. Ze had ze net te voorschijn gehaald toen de tandarts riep dat ze even naar de behandelkamer moest komen. De la waar ze mijn kaart uit gehaald had stond nog open. Voordat ik me kon bedenken ben ik om de balie heen gelopen en heb Henry's kaart, die achter de mijne zat, eruit gegrist. Eén tel later stond ik weer keurig te wachten alsof er niets gebeurd was.

Terwijl ik het deed had ik nog geen idee hoe het zoekraken van die kaart van pas zou kunnen komen. Maar toen ik even later naar huis fietste maakte zich een ongelofelijke vreugde van mij meester. Want er begon zich in mijn hoofd een plan te vormen dat heel wel zou kunnen werken.

*

Zondag 9 juni

Het zal veel voorwerk vergen. Vandaag ben ik daarmee begonnen, ik heb het fundament gelegd. Aan de ene kant is het jammer dat er een lange aanloop zal zijn, want het betekent dat ik nog een tijd met hem opgescheept zit. Aan de andere kant heb ik op deze manier wel ontzettend veel voorpret.

Nee, dat is niet het goede woord. Het klinkt te luchtig, wat ik voel gaat dieper, het is een bijna religieus gevoel dat ik nauwelijks kan bevatten. Een vreugde die is ontstaan op het moment dat ik mijn besluit nam en die daarna alsmaar verder is uitgegroeid. Het is alsof alle cellen in mijn lijf tintelen, van de toppen van mijn tenen tot mijn kruin.

Heel af en toe is het gevoel weg, dan ben ik bang. Bang dat mijn plan zal mislukken. Dat hij me op de een of andere manier zal betrappen en me daardoor nóg meer in zijn greep zal krijgen dan nu al het geval is.

Maar misschien is het goed dat die momenten er óók zijn, anders zou ik overmoedig kunnen worden. Hopelijk houdt de angst me scherp.

Ik heb vandaag dus een begin gemaakt.

De afgelopen week waren we allebei nadrukkelijk onze eigen gang gegaan, na de uitbarsting van vorig weekend. Maar vanochtend ben ik vroeg opgestaan en heb Henry's lievelingsontbijt klaargemaakt, gebakken eieren met spek. Hij kwam naar beneden, keek me vragend aan. Ik glimlachte naar hem. Streelde zijn wang, keek hem in de ogen. Toen heb ik hem met een snik omhelsd, me aan hem vastgeklampt. Dat laatste was geïmproviseerd, ik moest mijn gezicht voor hem verbergen omdat ik in de lach dreigde te schieten.

Zoals wel vaker het geval is werkte de improvisatie beter dan het oorspronkelijke script. Eerst onderging hij de omhelzing passief, zijn armen stijfjes langs zijn zij. Daarna klopte hij zachtjes met één hand op mijn rug.

Toen ik mezelf weer onder controle had, deed ik een stap terug. Keek hem aan en zei dat ik wilde proberen er wat van te maken, tussen ons. Dat ik er mijn best voor zou doen meer tegemoet te komen aan zijn wensen. En dat ik hem, als eerste stap in het opnieuw naar elkaar toe groeien op woensdag, precies op de dag dat we elkaar tweeëntwintig jaar geleden leerden kennen, een dagje mee uit wilde nemen. Samen leuke dingen doen, naar een tentoonstelling in het Boijmans, uit eten. Het lukte me zowaar om tranen uit mijn ogen te persen.

'Zou je alsjeblieft vrij kunnen nemen?'

Terwijl hij de eerste hap ei naar binnen schoof zei hij: 'Ik zal kijken of het lukt.'

Er droop vet langs zijn kin omlaag, maar ik bleef naar hem stralen.

*

Maandag 10 juni

Hij heeft vrij kunnen nemen!

Daarvoor moest hij natuurlijk beloond worden. Met de kiezen op elkaar heb ik er het beste van gemaakt. Ik weet waar ik het voor doe, dat scheelt.

*

Dinsdag 11 juni

Vanochtend heb ik een uur of twee zitten oefenen op Henry's handtekening. Toen ik tevreden was over het resultaat heb ik een overboekingsopdracht ingevuld, waarmee het hele saldo van onze spaarrekening wordt overgeheveld naar de gewone rekening. Het is een redelijk groot bedrag, bijna achtduizend euro. Hopelijk is het genoeg.

Met een tevreden gevoel liet ik even later de giro-envelop in de brievenbus glijden, waar hij met een zacht plofje landde op de post die zich daar al verzameld had. De eerste laag bakstenen staat boven op het fundament. Nu moet ik alleen zorgen dat ik de komende twee weken – méér zal het als het goed is niet zijn – steeds als eerste de post onderschep, zodat hij de afschriften van deze transactie niet te zien krijgt.

Waarom moet hij dood?

Waarom kan ik niet gewoon van hem scheiden?

Het antwoord op die vraag is niet zo simpel. We zitten op een ingewikkelde manier aan elkaar vast, Henry en ik. Dat is begonnen op de dag dat mijn vader stierf, al had ik dat toen nog niet in de gaten. Aan het einde van die dag had ik juist het gevoel dat alles eindelijk op zijn plek zou vallen.

Mijn vader was een monster. Ik kan daar uren over vertellen, gedetailleerd beschrijven hoe hij mij en mijn moeder treiterde en vernederde, maar het doet er niet meer zo toe. Hij was een tiran, daar is eigenlijk alles mee gezegd. Dat heb ik op het deksel van de beerput geschreven, toen ik besloot dat die voor eens en voor altijd dicht moest blijven.

Soms worden mensen met het verstrijken der jaren milder, maar bij mijn vader was dat niet het geval. Kort na de dood van mijn moeder bleek hij longkanker te hebben, het logische gevolg van jarenlang twee pakjes per dag. Het was uitgezaaid naar zijn lever en zijn botten en de verwachting was dat hij snel zou sterven. Maar mijn vader hield vast aan het leven. Hoewel hij voortdurend klaagde en er niemand was die vreugde kon scheppen in het feit dat hij er nog was, liet hij het niet los.

Hij maakte met iedereen ruzie. De huisarts, die het mede mogelijk maakte dat hij thuis kon blijven, werd afgeblaft en geschoffeerd. De wijkverpleegkundige die hem kwam wassen, verging het niet veel beter. Bij de dame van de thuiszorg, die ingeschakeld was om het huishouden te doen, maakte hij het zo bont dat de hulp zelfs werd stopgezet. De coördinator van de thuiszorg meldde dat zoiets uitzonderlijk was, zij had het nog niet eerder meegemaakt.

Natuurlijk draaide ik op voor de gevolgen.

Hoewel ik al vierentwintig was, woonde ik nog thuis. Eerst wilde ik niet op kamers gaan omdat mijn moeder dan alleen bij hem achter zou blijven en het eerste jaar na haar dood was ik te ontredderd om mijn vertrek te organiseren. Vervolgens werd mijn vader ziek en omdat de dokter gezegd had dat hij nog hooguit enkele maanden te leven had, besloot ik bij hem te blijven. Maar hij hield het natuurlijk veel langer vol, het duurde uiteindelijk anderhalf jaar tot hij zijn laatste adem uitblies.

Op de dag van zijn dood misdroeg hij zich vreselijk. Hij noemde de wijkverpleegkundige een hoer omdat ze hem te hardhandig waste en hij schold de dokter uit voor een incompetente zak, omdat die weigerde de gewenste hoeveelheid morfine voor te schrijven. Ook ik kreeg ervan langs, zo erg dat ik op een gegeven moment op het punt stond gewoon naar buiten te gaan, een wandeling te maken of te gaan winkelen. Maar het liep tegen vijven en Henry – destijds mijn vriend – zou me om half zes komen ophalen, we zouden uit eten gaan.

Dus bleef ik.

Ik was bezig met mijn laatste klus voor die dag, het afstoffen van de boekenkasten in de voorkamer. Mijn vaders bed stond daar en terwijl ik bezig was begon hij te hoesten. Hij had regelmatig ernstige hoestbuien, omdat hij veel taai slijm produceerde. Naast zijn bed had hij een apparaatje staan waarmee hij het weg kon zuigen, want ophoesten lukte niet altijd. Mijn vader wilde het apparaatje pakken, maar hij hoestte zo hard dat hij het per ongeluk van zijn nachtkastje stootte. Het viel op de grond en rolde buiten zijn bereik.

Al hoestend keek hij me aan, een impliciete opdracht dat ik het ding op moest rapen.

Ik deed het niet.

Ik bleef stokstijf stil staan, twee meter van zijn bed, de plumeau in mijn handen.

Hij werd eerst heel rood.

Toen werd hij grauw.

Hij keek me eerst woedend aan.

Daarna keek hij verbijsterd, alsof hij niet kon geloven dat ik mij na al die jaren losmaakte van zijn wil.

En toen keek hij alleen nog maar bang, totdat hij niet meer kijken kon.

Ik ben een hele tijd bij mijn dode vader blijven staan. Een onmetelijk gevoel van vrijheid en rust welde in me op, terwijl ik keek naar zijn verwrongen gezicht, naar het gelige schuim dat zich rond zijn mond gevormd had. Ik weet niet hoe lang ik daar precies gestaan heb, het leek een eeuwigheid.

Opeens stond Henry naast me. Ik had hem niet binnen horen komen, hij leek uit het niets te zijn verschenen. Hij keek naar mijn vader en toen naar mij. Daarna gleed zijn blik naar het afzuigapparaatje op de grond. Hij pakte vervolgens mijn hand vast en kneep erin, alsof hij wilde zeggen: ik geef je groot gelijk.

Toen zijn we uit eten gegaan.

We hebben die avond een extra dure fles wijn besteld.

'Wil je met me trouwen?' vroeg Henry tijdens het dessert.

Ik aarzelde geen moment.

Aan het eind van de avond is hij met me mee naar binnen gegaan, zodat we mijn vader samen zouden kunnen vinden. De huisarts kwam meteen toen we hem belden en constateerde enigszins ten overvloede de dood. Hij vulde keurig de noodzakelijke formulieren in en gaf ons de naam van een begrafenisondernemer, die we nog diezelfde avond lieten komen om het lichaam op te halen.

'Zal ik bij je blijven, vannacht?' vroeg Henry, toen de lijkwagen wegreed. Hij keek me met glanzende ogen aan en even had ik de neiging om ja te zeggen, maar mijn verstand won het van mijn gevoel. Juist nu moesten we ons onberispelijk gedragen, om te zorgen dat niemand zou twijfelen aan ons verhaal over deze avond. Ik legde dat aan Henry uit en hij moest me gelijk geven.

'Binnenkort zijn we voor altijd samen,' troostte ik hem, toen we afscheid namen.

Hij glimlachte en streelde mijn wang. 'In voor- en tegenspoed,' zei hij en kuste me nog een laatste keer.

Naïef als ik was, ging ik uit van enkel voorspoed.

*

Woensdag 12 juni

Ongelofelijk, wat een dag. Ik had me niet gerealiseerd hoe zwaar het zou zijn, de hele tijd samen zijn. Het is jaren geleden dat we op deze manier bij elkaar waren. In de weekenden en tijdens vakanties is het anders, omdat we dan elk onze eigen bezigheden hebben.

Het bizarre was dat ik het bij momenten naar mijn zin had. Ik voelde me ontspannen. Het was gezellig.

Gisteravond heb ik tegen hem gezegd dat ik voor een lekker ontbijtje zou zorgen. Hij mocht uitslapen, ik zou verse croissants en chocoladebroodjes halen bij de bakker om de hoek.

Zo gezegd, zo gedaan.

Bijna.

Voor ik vertrok heb ik zijn pinpas uit zijn portemonnee gehaald. De pinautomaat ligt op de route naar de bakkerij en ik heb het maximale bedrag opgenomen. Tegen de tijd dat Henry beneden kwam stonden de broodjes op tafel te geuren en zat zijn pasje weer keurig in zijn portemonnee.

Rond elven zijn we naar de Kunsthal gegaan, waar ze net vorige week een tentoonstelling over indianen geopend hadden. Henry had er een lovende recensie over gelezen.

Om gedoe met parkeren te vermijden gingen we er met de tram heen. Terwijl we door het Oude Noorden reden en ik langs hem heen naar buiten zat te kijken, werd ik me opeens bewust van zijn profiel. Hij heeft een grote, scherpe neus. Toen we elkaar net kenden vond ik die prachtig, net de neus van een Griekse god, of van een graaf uit een eeuwenoud geslacht. In die tijd had hij weelderige donkere krullen, nu schemerde de ronding van zijn voorhoofd door het veel dunnere haar. Zijn kin was onveranderd, net een centimeter te kort. Toen het me nog wat kon schelen hoe hij eruitzag heb ik wel eens geopperd dat hij een baard moest nemen, om zijn kin in evenwicht te brengen met de rest van zijn gezicht. Dan was hij echt mijn mythische held geweest, donkere krullen, een ruige baard, felblauwe ogen aan weerszijden van zijn krachtige neus. Jammer genoeg voelde Henry er niet voor, hij hield niet van baarden, zei hij.

Toen we eenmaal bij de Kunsthal waren kostte het me grote moeite me een beetje normaal te gedragen. Gelukkig was Henry buitengewoon spraakzaam. Dat is hij in musea altijd, hij heeft overal luidkeels commentaar op. Normaal erger ik me daar wild aan, maar nu kwam het me erg goed uit.

Rond tweeën, toen we alles zo'n beetje gezien hadden, streken we neer in het restaurantje om een broodje te eten. Vervolgens bestudeerde Henry de catalogus, terwijl ik even naar het toilet ging.

Ik bofte, er was daar verder niemand. Ik heb me opgesloten in een wc-hokje, mijn mobiel te voorschijn gehaald en naar

Henry's werk gebeld. Zoals ik al hoopte, stond zijn toestel doorgeschakeld naar de secretaresse.

'Hij is vrij vandaag,' zei ze, met een lichte aarzeling in haar stem.

Ik hoorde haar denken: hij zou toch met zijn vrouw op pad gaan?

'Weet je zeker dat hij er niet is?' vroeg ik.

'Nee, sorry, hij...'

Ze viel stil.

'Oh,' zei ik, met een gemaakt opgewekte stem, 'ik weet het al! Onze trouwdag komt eraan, hij is waarschijnlijk op pad om stiekem een cadeautje voor me te kopen... Dat zal het zijn! Niet tegen hem zeggen dat ik gebeld heb, hoor, hij wil me vast verrassen!'

Tevreden en ontspannen zat ik even later weer naast mijn man. Die ook tevreden en ontspannen was.

*

Donderdag 13 juni

Toen ik vanochtend wakker werd stond er een kopje thee op mijn nachtkastje. Henry zat op de rand van het bed naar me te kijken. Hij glimlachte naar me en streelde mijn haar.

'Je hebt je verslapen,' zei hij zacht.

Hij boog zich naar me toe en kuste me op mijn voorhoofd.

'Tot vanavond, lieverd.'

Ik bleef in verwarring achter.

Was dit het monster dat omgebracht moest worden?

Ik ben een hele tijd bewegingloos in bed blijven liggen, de thee onaangeroerd naast me. Twijfelend, tobbend. Kon ik het maken om door te gaan met mijn plan, nu Henry zich veel beter ging gedragen? Moest ik dat geen kans geven?

Ik betrapte mezelf erop dat ik voortdurend probeerde argumenten te vinden om toch gewoon door te gaan. Het is gewoon te laat, mijn hart is koud. Duizend kopjes thee zouden het nog niet op kunnen warmen.

Uiteindelijk ben ik opgestaan en aan de slag gegaan. Ik ben naar het andere eind van de stad gefietst en heb daar in een bouwmarkt inkopen gedaan. Een grote lap landbouwplastic, crêpetape, en een geplastificeerde waslijn, allemaal van het huismerk, op honderden plaatsen in de Benelux verkrijgbaar. Als een bezetene ben ik vervolgens terug naar huis gefietst. Tegen de tijd dat ik daar bezweet en wel aankwam was het laatste restje twijfel verdwenen.

*

Vrijdag 14 juni

Het komt nu met de dag dichterbij.

Volgende week vrijdag begint onze vakantie. We hebben het huisje bij Breskens, waar we de afgelopen jaren steeds naartoe zijn geweest, voor twee weken gehuurd. Meestal vertrekken we nadat Henry thuiskomt uit zijn werk, dan zijn we er tegen achten.

Vanochtend aan het ontbijt heb ik gevraagd of we het dit jaar niet anders konden doen.

'Als je vrijdag óók vrij kunt nemen kunnen we 's ochtends vertrekken, dan lunchen we ergens onderweg uitgebreid,' zei ik.

'Ik weet niet of dat op deze termijn nog lukt...'

Ik stond op, ging achter hem staan, sloeg mijn armen om zijn hals.

'Probeer het...' fluisterde ik in zijn oor, 'probeer het alsjeblieft, ik wil de dingen zo graag anders doen...'

Ik zoog op zijn oorlel als een volleerde soapactrice. Hij kreunde en ik wist: hij gaat zijn best doen om het te regelen.

Grappig hoe datgene wat me de afgelopen twintig jaar het meest tegen heeft gestaan me nu zo goed van pas komt.

*

Zaterdag 15 juni

Vannacht heb ik gedroomd over onze huwelijksnacht.

Zodra ik wakker werd ben ik opgestaan, ik kon niet meer naast hem in bed blijven liggen. Het was pas vijf uur, maar ik ben beneden gaan rommelen en tegen zevenen ben ik onder de douche gegaan, want ik wilde het ontbijtritueel van woensdag herhalen – verse broodjes halen zodat ik onderweg naar de bakker weer met zijn pas zou kunnen pinnen.

Het lukte me maar half om de sfeer van de droom van me af te schudden. Tijdens het ontbijt kostte het me de grootst mogelijke moeite om een beetje normaal tegen Henry te doen.

Onze trouwdag was heel erg fijn. Ik had een prachtige witte jurk gekocht, met een lange sleep. Ik zag er schitterend uit. De hele dag liep volgens plan – de zon scheen, de gasten waren aardig, alles zat mee. En ik was het stralende middelpunt, precies zoals het hoort.

's Avonds, tijdens het feest, voelde ik me voor het eerst ongemakkelijk. De drank vloeide vrijelijk, te vrijelijk, meerdere gasten raakten flink aangeschoten. Ook Henry dronk te veel, zonder echt vervelend te worden, overigens. Hij praatte alleen net iets te hard en maakte opmerkingen die hij normaal voor zich zou houden. Ik was blij toen het tijd was om te vertrekken naar de bruidssuite die we in het Parkhotel gehuurd hadden.

Ik had me van tevoren wel een beetje druk gemaakt over de huwelijksnacht. Theoretisch wist ik in grote lijnen wat me te wachten stond, maar ik had geen enkele ervaring, veel meer dan een heftige zoen hadden Henry en ik nog niet uitgewisseld. En ik had geen vriendinnen met wie ik intiem genoeg was om over dergelijke zaken te spreken.

Henry tilde me voor de drempel van onze kamer op en droeg me naar binnen. Hij kuste me terwijl hij me nog in zijn armen hield. Achter zich duwde hij de deur dicht en liep, mij ondertussen nog steeds kussend, naar het bed, waar hij me neer wilde leggen. Maar toen we vlak bij het bed waren, struikelde hij, waardoor hij mij erop liet vallen en vervolgens zelf boven op me terechtkwam. Hij kuste me weer, nu met een rauwe gretigheid die zo heftig was dat ik nauwelijks adem kon krijgen. Ondertussen trok hij mijn jurk onhandig omhoog, ik hoorde de stof scheuren. Ik draaide mijn hoofd weg van zijn happende mond en riep dat hij voorzichtig moest doen, maar hij hoorde me niet, of hij wilde me niet horen. Zijn gewicht drukte op me, het kostte moeite om adem te halen en als ik ademde, rook ik de geur van alcohol om hem heen.

Hij bleef sjorren aan mijn jurk, totdat ik van onderen bloot was. Kermend maakte hij vervolgens zijn eigen broek los en trok die ook omlaag. De gesp van zijn riem prikte gemeen in mijn dij en ik gilde het uit van de pijn, maar hij reageerde daar niet op. Hij wrong zich tussen mijn benen.

Hoe lang zal het geduurd hebben?

Niet lang.

Tien minuten, misschien, toen was het klaar en lag ik op mijn gescheurde en bevlekte trouwjurk, die ik zorgvuldig terug in de doos had zullen vouwen, die ik had willen bewaren als aandenken aan deze prachtige dag.

De rest van mijn huwelijksnacht heb ik wakker gelegen, naast mijn kersverse, naar alcohol ruikende, snurkende echtgenoot. Ik probeerde mezelf ervan te overtuigen dat het een volgende keer vast minder erg zou zijn. Als Henry niet zo veel gedronken had zou hij rustig en teder zijn, in plaats van ruw en ongeduldig. Misschien zou ik het zelfs wel prettig gaan vinden, troostte ik mezelf in het donker.

De volgende ochtend zag Henry aan me dat er iets was en kreeg uiteindelijk uit me dat het pijn had gedaan, de avond ervoor. Hij schrok en beloofde me dat we het de volgende keer heel rustig aan zouden doen.

De tweede nacht sliepen we dicht tegen elkaar aan, zonder dat er verder iets gebeurde. Voorzichtig begon ik te geloven dat het allemaal goed zou komen.

*

Zondag 16 juni

Door alle drukte deze week was ik er nog niet toe gekomen mijn *Libelle* te lezen, dus dat deed ik vanochtend, terwijl Henry de zaterdagkrant las. We zaten gebroederlijk bij elkaar in zijn werkkamer, waar de ochtendzon door de ramen scheen. Hij had gevraagd of ik bij hem kwam zitten en omdat ik geen goede reden kon bedenken om dat te weigeren, zat er niets anders op dan daar met mijn tijdschriftje neer te strijken.

De dag was trouwens al helemaal verkeerd begonnen. Ik sliep lang, vanochtend, ik was nog gammel van de gebroken nacht daarvoor. Henry bracht me tegen achten thee op bed, net op het moment dat ik een beetje wakker begon te worden. Toen hij dat zag kroop hij naast me in bed en kwam dicht tegen me aan liggen. Hij sloeg zijn armen om mij heen en begon mijn borsten te kneden. Eerst door mijn nachthemd heen. Vervolgens schoof hij met één hand het flanel omhoog, over mijn heup, nog verder. Zijn handen gleden onder de gebloemde stof, ze waren overal. Het kostte me al mijn energie om stil te blijven liggen, hem niet af te weren. Gelukkig zei hij niets en leek ook niet speciaal een respons van mijn kant te verwachten, hij ging gewoon zijn gang.

In de *Libelle* stond een verhaal van een vrouw die door haar vader misbruikt was, van haar negende tot haar dertiende was zij systematisch door hem verkracht. Als haar moeder naar bed was, kwam hij haar slaapkamertje binnen. Het maakte hem niet uit of ze wakker was of deed alsof ze sliep. Het maakte hem niet uit of ze huilde of zich verbeet. Hij ging ermee door totdat hij op een goede dag door een vrachtwagen werd aangereden en vervolgens in een verpleeghuis terechtkwam, waar hij de rest van zijn dagen hersendood en kwijlend doorbracht.

Door de jaren heen heb ik me wel eens afgevraagd of er met mij ook zoiets gebeurd is.

Het past in het plaatje.

Mijn moeder was niet sterk genoeg om mijn vader weerstand te bieden, met zijn geschreeuw en zijn losse handen had hij haar volledig in zijn macht. Hij deed waar hij zin in had, het interesseerde hem niet of iemand anders daar moeite mee had. In zijn ogen waren wij geen mensen, maar een verlengstuk van hemzelf, waar hij naar believen over kon beschikken.

In de *Libelle* gaf een deskundige uitleg over incest, in een apart lila kader naast het verhaal van het slachtoffer. Er werden vaders en moeders beschreven die akelig veel lijken op de mijne. Dominante, egoïstische vaders, die vaak te veel drinken. Onzekere, vermijdende moeders, die soms zelf ook het slachtoffer van incest zijn geweest en daarom moeite hebben om een gezonde seksuele relatie met hun echtgenoot aan te gaan.

Ik weet niet veel over mijn moeders jeugd, maar ik weet dat ze haar vader haatte. We gingen er nooit naartoe, naar haar ouders, of naar verdere familie van die kant. Het was een van de dingen die haar zo kwetsbaar maakten, ze had buiten ons gezin niemand.

Het past allemaal.

Het zou mijn afkeer van seks verklaren.

Ik kan me er alleen helemaal niets van herinneren.

Nu schijnt het wel dat je akelige gebeurtenissen soms zo ver weg kunt stoppen dat je er niet meer bij kunt. Dat klopt alleen niet met het feit dat ik allerlei andere dingen die mijn vader uithaalde nog heel precies weet.

Tot nu toe heb ik er nooit over willen lezen.

Dat ik dit artikel nu wél heb gelezen, komt denk ik door het feit dat ik weet dat het bijna voorbij is. Over een week zal hij me niet meer aan kunnen raken. Mijn lichaam is dan voor het eerst in twintig jaar weer van *mij*.

Misschien wel voor het eerst in mijn hele leven.

Wie weet zal ik dan de kracht vinden om er voorgoed mee af te rekenen, met alles wat er gebeurd is de afgelopen twintig jaar.

En de vierentwintig jaar daarvoor.

*

Maandag 17 juni

Ik had dat artikel niet moeten lezen. Het laat me niet los, ik ben er de hele tijd mee bezig. Met daarbij steeds de verontrustende vraag: stel dat...

Als ik jaren geleden in therapie was gegaan, zoals die vrouw in de *Libelle*, als ik de moed had gevonden om met iemand te praten over vroeger, over datgene wat er bij ons thuis gebeurde, als het mij gelukt was de beerput helemaal leeg te maken, zodat ik niet voortdurend met allerlei ballast rond zou lopen, hoe zou mijn leven dan gelopen zijn? Hoe zou het tussen mij en Henry zijn gegaan?

Ik moest ook denken aan het moment dat het ontspoorde tussen ons. Toen de weg naar een eventuele therapie, de mogelijkheid anderen te betrekken bij het loskomen van het verleden, voorgoed werd afgesloten. De haat kwam in ons leven, toen, en smeedde ons onlosmakelijk aan elkaar vast.

Het was ongeveer twee maanden na onze huwelijksreis. We hadden na die eerste desastreuze nacht samen een vast ritme ontwikkeld dat voor mij dragelijk was en voor hem acceptabel leek. We hadden één keer per week seks, als het aan mij lag op vrijdag, dan was het voor het weekend gebeurd en kon ik me zaterdag en zondag vrij voelen. Van tevoren dronk ik dan een flinke hoeveelheid wijn, er ondertussen voor zorgend dat hij juist niet te veel binnen kreeg, want dat vertraagde de zaak alleen maar, had ik gemerkt.

Op een gegeven moment gingen we dan naar bed, voltrokken de daad en dat was dat.

Op een zaterdagochtend kwam Henry, die even de stad in was geweest, naar me toe met een pakketje en zei: 'Lieverd, kijk eens, ik heb iets voor je gekocht...'

Hij keek me verwachtingsvol aan, een pakje in zijn uitgestrekte armen.

'Wat lief!' zei ik, in de volle overtuiging dat het lief was, dat hij lief was, dat het goed was tussen ons. Haastig scheurde ik het papier open.

Er zat iets roods in, iets vuurroods, met kant eraan. Ik pakte het beet en hield het omhoog.

Het was een piepklein jurkje, met spaghettibandjes voor over de schouder, een diep uitgesneden decolleté, een veel te kort rokje.

‘Er is meer...’ zei Henry, zijn stem gretig.

Op mijn schoot, tussen het gescheurde papier, lag een minuscuul rood kanten slipje.

Misschien zijn er vrouwen die blij zijn met dergelijke cadeaus, maar voor mij was het een klap in het gezicht. We hadden nota bene de avond ervoor gevreeën, gunde hij me nog niet eens één etmaal rust?

‘Wil je het aandoen?’ vroeg Henry schuchter. ‘Ik dacht, als we nou eens wat dingen uitproberen, wat meer variatie...’

Ik voelde een enorme woede in me opwellen. Was het dan nog niet genoeg, wat ik deed? Mijn afkeer, mijn *walging* iedere week opnieuw overwinnen?

Ik gooide het jurkje in zijn gezicht.

‘Ben je gek geworden!’ riep ik. ‘Wat voor een vrouw denk je dat ik ben? Ik ben geen hoer!’

Henry werd lijkbleek.

Even voelde ik een verdrietig soort tederheid, want opeens wist ik dat hij op zijn manier oprecht probeerde me te helpen mijn weerzin te overwinnen. Een weerzin die kennelijk voor hem voelbaar was, al had ik mijn best gedaan die te verbergen.

Ik zocht naar woorden om mijn hatelijke opmerking ongedaan te maken, om te proberen hem uit te leggen waarom ik zo fel gereageerd had. Voorzover ik dat uit kon leggen, voorzover ik het zelf begreep.

Hij was me voor.

‘Nee, ik ben niet gek geworden. Ik ben een gewone man, met gewone behoeften!’

Hij keek me aan met een koude, afstandelijke blik.

‘En ja,’ vervolgde hij, zijn stem zachter dan daarvoor, ‘ik weet precies wat voor een vrouw jij bent. Geen hoer, dat klopt. Was je het maar, dat is een minder groot vergrijp.’

‘Wat bedoel je?’ vroeg ik.

Ik heb me sindsdien vaak afgevraagd hoe alles gelopen zou zijn als ik die vraag niet gesteld had. Als ik gewoon was weggelopen uit die kamer, die opmerking van hem had laten gaan, de zaak niet op dat verhitte moment op de spits had gedreven.

'Denk eens na,' zei Henry, me strak aankijkend, 'denk eens goed na. Wat heb je op je kerfstok? Misschien zouden de mensen in je omgeving geïnteresseerd zijn in het feit dat je willens en wetens je eigen vader hebt laten stikken, zonder iets te doen. Je stond erbij en keek ernaar, zo was het toch? Eens even kijken, waar valt dat onder? Dood door schuld, wellicht? Of is er in zo'n geval toch sprake van moord?'

Hij bleef me aankijken.

Er ging iets onherstelbaar kapot, iets wat we nooit meer zouden kunnen repareren. Het zou de rest van ons gezamenlijke leven bepalen.

Die avond moest ik het rode jurkje aan.

Vanaf dat moment hadden we om de dag seks, twintig jaar lang.

Ik had van alles zullen doen vandaag, de voorbereiding is nog lang niet rond. Maar ik kon het niet opbrengen. Het kostte me de grootste moeite om de gewone maandagse klussen te doen: stofzuigen, een was draaien. Zelfs dat was me bijna te veel.

Ik was in de tuin om de was op te hangen, toen ik opeens de stem van mijn buurvrouw hoorde.

'Is er iets, Linde?'

Het klonk alsof ze heel ver weg was, alsof er iets wazigs tussen ons in hing, een dikke mistbank die nauwelijks geluid door wilde laten.

'Nee, hoezo?' zei ik, verschrikt opkijkend.

Mijn eigen stem klonk alsof iemand anders ermee sprak.

'Je staat al een hele tijd stil, met dat overhemd in je handen...'

Carolina klonk bezorgd. Ze is een aardige vrouw, in een ander leven waren we vast vriendinnen geworden.

'Oh, ja, sorry,' stamelde ik.

De mist trok langzaam op en ik werd me bewust van het koude, vochtige kledingstuk in mijn handen, van het zachte briesje dat de was weldra zou drogen, van het zonlicht, dat hier en daar door de lome bladeren van de grote kastanjeboom achter in de tuin scheen.

Ik zag Carolina naar me kijken. Het gefilterde zonlicht viel op haar gezicht, ze hield een hand omhoog, om haar half dichtgeknepen ogen af te schermen. Verdwaalde plukken donkerbruin haar waaiden over haar wang en op haar geruite bloes zat net onder haar linkerborst een donkere veeg. Ze bleef naar me kijken, haar gezicht een uitnodiging om alles wat me dwarszat te vertellen, haar glimlach een belofte dat ze haar best zou doen mijn zorgen te verlichten.

'We vertrekken vrijdag op vakantie en er moet voor die tijd nog een hoop gebeuren... daar stond ik aan te denken...'

Ik glimlachte naar haar en hoopte dat het overtuigend klonk.

'Ik snap het, ik ken dat,' zei ze. 'Misschien moet je even rust nemen. Heb je soms zin in een kopje koffie?'

'Ja!' wilde ik roepen.

Ik wilde naar haar toe gaan, naar haar tuin die op de een of andere manier zoveel opener en warmer is dan de mijne. Ik wilde haar vertellen over het verhaal in de *Libelle* en over vroeger en over mijn vader, over zijn dood. Ik wilde haar vragen of ze het kon begrijpen, of ze het erg vond dat ik hem niet geholpen had. Ik wilde haar vertellen over Henry, vragen of ze misschien een andere uitweg voor me zag dan de enige die ik zelf had kunnen bedenken.

'Nee, dank je, Carolina,' hoorde ik mezelf zeggen, 'een andere keer graag, nu kan ik denk ik beter aan de slag gaan met al die dingen waar ik over loop te malen.'

Carolina zei dat ze het begreep, wenste me sterkte en liep naar haar keuken. De deur viel zachtjes dicht. Ik bleef alleen achter in de stille, lege tuin.

*

Dinsdag 18 juni

Gisteravond kon ik niet slapen. Deels kwam dat omdat het tijd was voor een vrijpartij en nadat ik aan mijn huwelijkse plicht heb moeten voldoen kan ik nooit meteen slapen. Het feit dat ik er nu zogenaamd vrijwillig aan meewerk maakt op dat punt niet uit.

Maar het wakker liggen kwam denk ik ook door de nare sfeer die er de hele dag al om me heen hing, door die mist die ik niet van me af kon schudden.

Nadat Henry in slaap was gevallen ben ik naar beneden gegaan en voor ik het wist zat ik met de *Libelle* in mijn handen. Alsof een vreemde kracht me ertoe dwong heb ik het incestverhaal opgezocht en van a tot z herlezen.

Vreemd genoeg voelde ik me toen ik het uit had kalm, rustig. Het was alsof er binnen in mij iets op zijn plaats viel, alsof er een ontbrekend radertje in een uurwerk werd teruggezet, waardoor het na jaren van stilte opeens weer begon te tikken.

De vrouw in het verhaal was net als ik in een foute relatie beland. Ze liet zich door haar man domineren, vanaf het allereerste begin mishandelde hij haar en zij pikte dat. Ze liet zich terwijl ze zwanger was van haar eerste kind in haar buik trappen, ze werd herhaaldelijk gewurgd tot ze het bewustzijn verloor, hij brak haar neus, ze incasseerde blauwe plekken, gebroken botten. Ze pikte het allemaal, tot hij haar kinderen begon te slaan. Toen kreeg ze de kracht om te handelen. Ze sprong ertussen, waardoor hij haar natuurlijk nog veel erger in elkaar sloeg dan hij eerder al had gedaan. Maar toen ze bij was gekomen wist ze: ik ga bij hem weg. De dag erop vertrok ze terwijl hij naar zijn werk was met haar kinderen naar een blijf-van-mijn-lijf-huis.

Pas nadat ze bij hem weg was gegaan, vertelde ze in het interview, kon ze beginnen met het verwerken van haar jeugd. Want zolang ze bij hem was, zat ze in feite nog in dezelfde situatie gevangen als vroeger thuis: een situatie waarin een ander haar in zijn macht had. Pas toen ze de moed had gevonden om zich daaruit los te maken, kon ze daar echt naar kijken. Al is ze nog niet klaar met vroeger, ze voelde zich beter, vrijer dan ooit tevoren, vertelde ze aan het slot.

Ik ben wel een uur bewegingloos blijven zitten, met op mijn schoot het tijdschrift van waaruit het gezicht van die vrouw me toestraalde. Toen ben ik naar bed gegaan en ik heb geslapen als een roos, ondanks het feit dat Henry in de loop van de nacht tegen me aan kwam liggen. Vanochtend voelde ik me fit en energiek, terwijl ik uiteindelijk nog geen vijf uur heb geslapen. Ik had vleugels, vandaag, ik kon bergen werk verzetten.

Zodra Henry de deur uit was ben ik aan de slag gegaan met de voorbereiding van de vakantie – het is belangrijk dat ik dat niet merkbaar anders doe dan in voorgaande jaren. Dus heb ik koffers van zolder gehaald en allerlei korte broeken en T-shirts gewassen en gestreken, ook die van hem, al zal hij ze niet aanhebben.

Terwijl ik daarmee bezig was, vroeg ik me af hoe lang ik moet wachten met het opruimen van zijn kleren, als het straks gebeurd is. Minstens een paar maanden, vrees ik, mijn rol eist van me dat ik geruime tijd blijf hopen op zijn terugkeer.

Ik pakte een van mijn eigen bloesjes, eentje met een dun, roze streepje en zette daar de strijkbout op. Terwijl ik die zorgvuldig om de knoopjes liet glijden, realiseerde ik me opeens dat dat eigenlijk een kledingstuk was voor een meisje. Of voor een oud vrouwtje. Niet voor een vrouw van in de veertig, iemand in de bloei van haar leven.

Straks, als Henry niet meer voortdurend klaarstaat om te graaien, kan ik me anders gaan kleden. Ik zal een nieuwe garderobe aanschaffen, met flatterende jurkjes en sportieve, afkledende broeken. Dat nam ik me voor, terwijl ik stond te strijken.

Vanmiddag heb ik een repetitie gehouden, in de slaapkamer. Met gloednieuwe tuinhandschoenen aan heb ik het landbouwplastic uitgepakt en gekeken of het om het bed heen paste, wat gelukkig het geval was. Vervolgens heb ik de waslijn om mijn pols gebonden, om te kijken hoe dat voelde. Het zat niet prettig. Evengoed zou het prima kunnen werken, als het me lukt hem voldoende op te winden zal hij nergens tegen protesteren, maar ik wil geen risico nemen. Morgen ga ik een paar lange, soepele sjaals halen, dat voelt vast beter.

*

Woensdag 19 juni

Vannacht werd ik rond drieën wakker omdat ik moest plassen. Onderweg naar het toilet realiseerde ik me ineens dat ik maandag, toen Carolina me op de koffie vroeg en ik dat verdwaasd af had geslagen, een gouden kans had gecreëerd om mijn alibi nog wat kracht bij te zetten.

Vanochtend heb ik haar rond tienen gebeld met de vraag of zij misschien zin had om alsnog samen dat kopje koffie te drinken. Ik hoorde aan haar stem dat ze eigenlijk ergens druk mee bezig was, maar ze zei gelukkig toch ja, zo is ze.

Toen we samen aan haar keukentafel achter onze koffie zaten, begon ik mijn zorgvuldig voorbereide verhaal.

'Carolina, ik ben je excuses verschuldigd, voor mijn gedrag van maandag...'

'Hoezo? Je hebt toch helemaal niets misdaan?'

'Jawel.'

Ik liet even een stilte vallen, alsof het me moeite kostte om verder te gaan.

'Jawel, ik heb tegen je gelogen. Toen ik zei dat ik aan het denken was over de vakantie en wat ik allemaal nog moest doen.'

Ik keek haar aan en zag de bezorgdheid in haar donkerbruine ogen. Even voelde ik me rot, maar ik ben toch doorgegaan. Ik kon trouwens al niet meer terug.

'Weet je, ik maakte me eigenlijk zorgen over Henry. Het is heel dwaas maar op de een of andere manier had ik het idee gekregen dat hij vreemdging.'

Ik sloeg mijn ogen neer en schraapte mijn keel.

'Er was geld van onze spaarrekening afgehaald en maandagochtend vond ik tussen zijn spullen een bon van een juwelier, waar hij voor meer dan duizend euro een collier had gekocht...'

Ik keek nog steeds naar beneden, dus ik kon niet zien hoe Carolina keek.

'Ik heb een poos lopen tobben, en toen heb ik het gisteravond tegen hem gezegd. Hij werd eerst boos, maar daarna moest hij vreselijk lachen. Hij pakte het bonnetje van me af en zei dat hij gehoopt had dat het hem nu eindelijk eens zou lukken mij te verrassen... Het blijkt dat hij dat collier voor míj heeft gekocht, ik krijg het als we op vakantie zijn, zei hij...'

Nu keek ik Carolina aan en ik zag in haar ogen precies datgene wat ik verwachtte, waar ik op hoopte. Ze was ervan overtuigd dat mijn man me inderdaad bedroog en ze wist niet wat ze het beste kon doen: me confronteren met de onwaarschijnlijkheid van zijn verhaal, of het laten gaan, omdat ik overduidelijk in zijn onschuld wilde geloven. Ze koos uiteindelijk voor het laatste. Mij maakte het niet uit, ik had met beide reacties uit de voeten gekund. Deze kostte alleen wat minder tijd.

Vanmiddag ben ik naar het Zuidplein gefietst, waar ik bij de Hema een paar lange, soepele sjaals heb gehaald. Thuis heb ik ze uitgeprobeerd en het werkt. Als ik de waslijn – die ik gisteren al netjes in vieren heb geknipt – vastmaak aan de poten van het bed en daar de sjaals doorheen doe, zijn ze lang genoeg om ze heel stevig vast te kunnen binden.

Ik heb de oude, stoffige elpee van de *Bolero* opgezocht en hem overgenomen op een cassettebandje, twee keer achter elkaar, dan heb ik zeker genoeg tijd. In de slaapkamer heb ik het afgedraaid op de oude cassetterecorder die we altijd meenemen op vakantie. Ik heb uitgeprobeerd hoe hard het ding moet staan om precies de goede sfeer te creëren. Vervolgens heb ik op het ritme van de muziek het hele gebeuren in pantomime doorgenomen. Een ongelofelijk opwindende dans.

*

Donderdag 20 juni, 8.30 uur

D-day.

Ik sterf van de zenuwen.

Henry is net weg, vertrokken naar zijn werk. Gedachten gieren door mijn hoofd.

Kan ik het als puntje bij paaltje komt?

Wil ik het echt?

Is er niet toch een minder radicale oplossing die ik tot nu toe over het hoofd heb gezien?
Zal ik niet betrapt worden?

Ik heb de neiging om een stevige borrel te nemen. Of een valium. Allebei niet verstandig, natuurlijk. Hoe kom ik in vredesnaam deze dag door?

Gelukkig moet ik er straks nog opuit. Midden in de nacht, toen ik even wakker was, heb ik zijn portemonnee uit zijn broek gehaald en onder de stoel waar de broek overheen hing op de grond gelegd. Af en toe gebeurt het dat hij het ding op die manier een dag kwijt is. Het werkte, hij is met een lege achterzak vertrokken.
Straks fiets ik naar het centrum, waar ik in de buurt van zijn kantoor tijdens zijn middagpauze nog weer een keer zal pinnen. Nog een paar keer en het overgeboekte spaargeld is van de rekening verdwenen.

⋆

Donderdag 20 juni, 20.00 uur

Het is gebeurd!
Het was alleen veel moeilijker dan ik van tevoren dacht. Bijna was het op een verschrikkelijke manier mislukt.

Vanochtend was ik op van de zenuwen, het was zo erg dat het me niet eens lukte de ontbijtboel af te ruimen zonder iets te breken. Er sneuvelde eerst een bord, later een kopje. Dat kopje was van het servies van mijn schoonmoeder, precies zo'n kopje als dat waar het ruim twee weken geleden allemaal mee is begonnen.
Het breken van dat rotding was prettig, ik raakte er spanning door kwijt. In een opwelling heb ik de rest van de kop-

jes uit de kast gehaald en ze één voor één op de keukenvloer stukgegooid. De schoteltjes ook. Het maakte een hels kabaal, maar ik wist dat Carolina niet thuis was, die doet op donderdagochtend altijd vrijwilligerswerk in het kinderziekenhuis, dus die zou niets horen. De buren aan de andere kant werken allebei overdag, daar hoefde ik me al helemaal geen zorgen om te maken.

Toen ik de scherven bij elkaar geveegd had en zorgvuldig verpakt in de vuilniszak had gedaan, was ik helemaal kalm geworden. Het was een symbolische daad, denk ik. Ik forceerde er iets mee, zodra ik de kopjes had stukgegooid was er geen weg terug meer.

Ik hoefde niet meer te twijfelen.

De rest van de dag ging in een roes voorbij. Ik hoefde niet veel meer voor te bereiden en besteedde mijn tijd aan het verder inpakken voor de vakantie. Mijn eigen zomergoed vouwde ik zorgvuldig op, dat van Henry propte ik in de koffer. Verder stopte ik zijn twee beste kostuums, een extra jas en twee paar nette schoenen, allemaal dingen die normaal gesproken nooit meegaan op vakantie, in een andere koffer.

Daarna ben ik gaan schoonmaken. Van tevoren had ik bedacht dat ik tussendoor wat rust zou nemen, maar ik zat barstensvol energie en hield het in mijn stoel niet uit. Ik heb het hele huis van top tot teen schoongemaakt.

Tussen de middag moest ik mezelf ertoe dwingen iets te eten, ik voelde geen honger, had het liefst achter elkaar doorgewerkt. Vanmiddag heb ik de tuin ook nog gedaan, geschoffeld, gesnoeid en water gegeven. Ik heb de boel nooit eerder zo ordentelijk achtergelaten, wanneer ik op vakantie ging.

Om half vijf, precies een uur voordat ik Henry thuis verwachtte, heb ik de slaapkamer in orde gemaakt en ben ik gaan douchen. Daarna heb ik een frivool zwart kanten ondergoedsetje aangetrokken – walgelijk maar essentieel – en ben ik vervolgens in de keuken met een glaasje wijn en wat hapjes op hem gaan wachten. Ik moest me bedwingen om me niet acuut te bedrinken, want de zelfverzekerdheid die ik de hele dag door gevoeld had was subiet verdwenen toen ik me in dat idiote ondergoed gehuld had. Onvoorstelbaar dat er vrouwen zijn die genoegen scheppen in dergelijke spulletjes.

Hij kwam om twintig over vijf thuis, precies op schema. Zoals altijd kwam hij binnen via de keukendeur, nadat hij zijn fiets in de schuur had gezet.

Zijn mond viel open toen hij me zag.

'Hallo,' fluisterde ik op een toon waarvan ik hoopte dat die zwoel was, 'ik begon me net af te vragen waar je bleef...'

'Wat...'

Zijn stem klonk aarzelend.

Ik glimlachte naar hem, een langzame en hopelijk verleidelijke glimlach.

'Je weet toch dat ik deze vakantie anders wilde laten beginnen... Kom, ga zitten, neem een glaasje wijn!'

Mijn eigen glas bevatte alleen een bodempje, ik wilde de suggestie wekken dat ik al het nodige achter de kiezen had.

Henry pakte het glas wijn van me aan, maar bedacht zich toen.

'Weet je, ik ga me eerst even vlug opfrissen, ik ben helemaal bezweet van het fietsen!'

Mijn hart sloeg over. Als hij naar boven zou gaan, was de kans groot dat hij ook in de slaapkamer zou komen en daar mijn voorbereidingen zou zien.

'Lieverd, nee!' riep ik, terwijl ik wanhopig zocht naar een plausibel excuus om hem beneden te houden.

'Maar ik stink een uur in de wind,' zei hij met een bijna verlegen glimlach.

'Denk je dan dat die geur mij afstoot?' improviseerde ik.

Hij keek me verbaasd aan en in zijn ogen zag ik dat hij

niets liever wilde dan geloven dat ik zijn zweetgeur opwindend vond.

Ongelofelijk.

En heel handig.

'Kom, zitten!' commandeerde ik. 'Voor ik met je klaar ben zul je vanavond trouwens nog wel méér gaan zweten...'

Hij hoorde wat hij wilde horen, hij keek me terwijl hij een slok van zijn wijn nam gretig aan.

Ik voelde op dat moment een enorme minachting voor hem. Hoe kon hij geloven dat ik werkelijk naar hem zat te smachten, na alles wat er tussen ons was voorgevallen?

Opeens wist ik weer heel zeker dat hij alles wat er ging komen verdiende. De rust die ik na het breken van het serviesgoed gevoeld had, kwam terug. Ik durfde zelfs een flinke slok wijn te nemen.

'Ik heb voor vanavond een bijzonder programma bedacht,' zei ik, terwijl ik een stokbroodje voor Henry smeerde. 'We eten en drinken eerst wat, zodat je bij kunt komen van de vermoeienissen van de dag...'

Voor ik er erg in had wat er gebeurde had hij me beetgepakt en begon me op mijn mond te zoenen, ondertussen met zijn handen naar mijn billen graaiend. Ik walgde van hem, in een reflex duwde ik hem van me af, maar het lukte niet, hij hield me stevig vast.

Ik draaide mijn hoofd opzij waardoor mijn mond loskwam van de zijne.

'Stop!' riep ik en deed mijn best om vervolgens een overtuigende schaterlach te produceren. Een Oscar zou ik moeten krijgen voor die prestatie.

'Stop, schat, je wilt toch niet mijn plan bederven?'

Nu liet hij zich, zij het met duidelijke tegenzin, wegduwen. Ik smeerde nog een paar broodjes en schonk zijn glas weer vol. Hij at en dronk gulzig, zoals ik van hem gewend ben.

'Je ziet er prachtig uit,' zei hij tussen twee slokken door, 'even mooi als toen ik je voor het eerst ontmoette. Ik weet nog precies wat ik toen dacht...'

Hij praatte en praatte, ondertussen zijn glas leegdrinkend, dat ik steeds bijvulde. Ik zat erbij en glimlachte of knikte, afhankelijk van wat ik aan zijn gezicht meende af te lezen, en repeteerde ondertussen in mijn hoofd datgene wat zou volgen.

'Ben je er klaar voor om naar boven te gaan?' vroeg ik, toen er een pauze viel in zijn relaas.

'Ja!'

Hij hijgde, zo gretig was hij.

'Eerst even de spelregels,' zei ik, quasi streng. 'Vanavond is het van essentieel belang dat je de instructies die ik je geef nauwkeurig opvolgt, zul je dat doen?'

'Ja!'

Hij kwijlde bijna.

'Goed,' zei ik, 'om te beginnen doen we deze bij je om.'

Ik haalde een lange sjaal te voorschijn, die ik strak om zijn hoofd deed, zodat zijn ogen bedekt waren.

'Geef me nu je hand, dan leid ik je naar boven...'

We liepen hand in hand de trap op, Henry volgde me als een hondje. Onvoorstelbaar vond ik het, zoveel gehoorzaamheid bij een man die al twintig jaar de baas over me speelde. Hij liep achter me aan de slaapkamer in, waar ik de cassetterecorder aanzette. De zwoele, in het begin nog zachte klanken vulden de kamer.

Ik begon hem uit te kleden.

Daar had ik bij het maken van mijn plannen lang over getwijfeld. Ik had het liever vermeden, maar het was nou eenmaal beter dat hij geen kleren aan zou hebben, die wellicht ooit op de een of andere manier aanwijzingen op zouden kunnen leveren.

'Moet dit echt, ik wil je zien!' zei Henry, toen ik bezig was met de knopen van zijn overhemd. Voor ik er erg in had stond hij aan de blinddoek te trekken. Gelukkig had ik die behoorlijk strak vastgeknoopt, dus hij kreeg hem niet meteen los.

'Geduld, lieverd, geduld!' fluisterde ik, de paniek die ik voelde verbergend. 'Dat komt allemaal. Je hebt me gehoorzaamheid beloofd, toch?'

Hij liet zich paaien.

Terwijl de *Bolero* aanzwol kleedde ik hem verder uit.

Daar stond hij dan, mijn man.

Naakt, op de zwarte blinddoek na.

Ik had in geen jaren meer echt naar zijn lichaam gekeken. Vergeleken bij de rest van zijn lichaam waren zijn gezicht en zijn hals heel bruin en verweerd, verder was hij op zijn penis na spierwit.

'Nu ga je liggen, op het bed,' fluisterde ik.

De spanning die ik vanbinnen voelde klonk door in mijn stem, wat gelukkig bij mijn rol paste. Helaas reageerde Henry erop, hij greep me vast, drukte me tegen zich aan en begon me weer met happende bewegingen te zoenen. Ik wilde hem van me af duwen, mijn mond afvegen, schreeuwen dat hij een vieze klootzak was die zijn handen thuis moest houden.

Ik kon me nog net inhouden.

'Toe, bederf mijn plan niet!' smeekte ik, terwijl ik hem van me af probeerde te duwen.

Hij gehoorzaamde.

'Op het bed, kom!'

Ik hoorde het ongeduld in mijn stem, maande mezelf tot kalmte.

Henry ging zitten. Het landbouwplastic kraakte.

De schrik sloeg me om het hart.

Ik begon als een bezetene te praten, terwijl ik hem met mijn handen in de gewenste positie bewoog. Ik weet werkelijk niet meer wat ik allemaal uitgekraamd heb, op de een of andere manier lukte het me om de hele tijd aan het woord te zijn. De muziek werd steeds harder, dat hielp ook.

Uiteindelijk was het zover, hij lag midden op het bed, armen en benen gespreid.

'Nu gaan we iets ondeugends doen...' zei ik terwijl ik de keurig klaar liggende sjaal om zijn rechterpols wond en er een stevige knoop in legde. Een dubbele knoop, precies zoals ik geoefend had. De rechtervoet volgde, daarna de linker. Het liep gesmeerd. Ik denk dat ik daar een beetje overmoedig van werd, waardoor mijn concentratie verslapte. Zonder erbij na te denken ging ik op het bed zitten om de linkerhand vast te knopen. Het landbouwplastic kraakte weer, uitgerekend op een moment dat de muziek na een luid crescendo stilviel.

'Wat...' begon Henry, terwijl hij met zijn vrije hand om zich heen graaide. De hoek van het laken schoot los, waardoor het plastic vrij kwam te liggen.

'Wat...' herhaalde hij. Nu greep hij met zijn linkerhand naar de blinddoek en begon die los te sjorren.

'Nee,' riep ik nog, maar ik wist dat het te laat was. De betovering was verbroken, hij vertrouwde het niet meer. Vliegensvlug deed ik de la van mijn nachtkastje open en haalde het vleesmes te voorschijn. Tijd om de gloednieuwe regencape die daar ook klaarlag aan te trekken was er niet meer. Ik hief het mes met beide handen boven mijn hoofd en liet het met alle kracht die ik in me had neerkomen. Ik geloof dat ik er zelfs bij schreeuwde, een soort oerkreet die diep uit mijn binnenste naar boven kwam.

De blinddoek zat nog over zijn rechteroog, maar het linkeroog, dat vrij was, keek me woest aan. Henry liet de blinddoek los en graaide met zijn hand naar mijn armen, waardoor het mes van richting veranderde, het raakte hem in zijn buik in plaats van zijn borst.

'Augrr,' riep hij en liet mijn arm los om naar zijn buik te grijpen.

Vlug trok ik het mes uit zijn lijf. Er gutste bloed uit de wond, tussen zijn vingers door.

'Linde...' zei hij.

Hij keek me aan met zijn onbedekte oog en in zijn blik leek verdriet het te winnen van de woede.

'Linde, ik...'

Ik hief het mes boven mijn hoofd.

'Linde...' zei hij nog een keer, terwijl mijn armen opnieuw omlaagsuisden. Dit keer gleed het mes volgens plan tussen zijn ribben door. Er klonk een vreemd geluid dat ik niet kon plaatsen, pas later realiseerde ik me dat het lucht was, die uit zijn borstkas ontsnapte.

Zijn oog bleef open, terwijl het leven eruit wegebde. Het was alsof iemand met een onzichtbare hand het verdriet er langzaam uit wiste, totdat het helemaal weg was.

Het was alsof diezelfde hand het verdriet vervolgens heel zachtjes in mijn hart legde. Tranen welden op in mijn ogen.

Waarom?

Waarom was Henry op het eind verdrietig?

Omdat hij wist dat hij zou sterven?

Om ons?

'Stoppen...' fluisterde ik tegen mezelf, terwijl de tranen over mijn wangen liepen.

Op dat moment ging de telefoon.

'Hallo, met Ben!'

Ik stond naast het bed, naast het dode lichaam van mijn man, de telefoon tegen mijn oor.

'Ben!' zei ik.

Meer kon ik niet bedenken.

'Is alles goed bij jullie? Ik hoorde net een vreselijke gil...'

'Ja hoor!'

Mijn stem klonk gelukkig kalm.

'Niets ernstigs, althans, niets onherstelbaars. Henry heeft op zolder een oude kist op zijn grote teen laten vallen. Hij was de koffers aan het pakken voor morgen.'

'Moet ik hem soms even komen helpen?'

Ben.

Altijd behulpzaam, altijd attent.

Hoe vaak heb ik niet gewenst dat Carolina's man de mijne was?

'Dat is aardig van je, Ben, maar hij heeft alles al beneden en laat nu het bad vollopen om zo in het warme water bij te kunnen komen van de ramp.'

'Nou, daar zal hij wel geen hulp bij willen!'

Aan Bens stem kon ik horen dat hij glimlachte en ik voelde mezelf ontspannen. Tot hij verder praatte.

'Trouwens, was Henry ook diegene die brokken maakte met het servies, vanochtend?'

'Nee, dat was ik...'

Ik voelde me helemaal warm worden. Hoe kon hij dat in vredesnaam gehoord hebben?

'Was je thuis, dan?'

'Ja, je weet toch dat Carolina al jaren aan mijn hoofd zeurt dat ik minder moet gaan werken? Sinds mei ben ik op donderdagen thuis. Ik werk nu vier keer negen uur, in de praktijk maakte ik toch al vaak lange dagen, dus wat dat betreft maakt het niets uit.'

'Goed, zeg,' zei ik, met een hopelijk enthousiast klinkende stem, 'bevalt dat een beetje?'

Terwijl ik met een half oor luisterde naar zijn antwoord, probeerde ik koortsachtig een verklaring te bedenken voor het tumult dat ik vanochtend in de keuken gemaakt had.

Ondertussen vertelde Ben over de rust, waar hij van genoot, al moest hij wel weer helemaal opnieuw leren zich te ontspannen.

Toen hij klaar was met zijn verhaal zei ik: 'Ik hoop dat ik je rust niet te veel verstoord heb met mijn actie van vanochtend. Ik was ruimte aan het maken in mijn keukenkastjes voor een nieuw servies dat we besteld hebben...'

Het klonk lam, maar Ben leek er genoegen mee te nemen.

'Trouwens, waar ik eigenlijk voor belde,' zei hij vervolgens, 'wil je Henry als hij uit bad komt zo nog even langs sturen? Hij wilde met het oog op jullie vakantie een hengel van me lenen, om eens te kijken of vissen iets voor hem zou zijn...'

'Ja, daar had hij het nog over...' loog ik vlug.

Wanneer had Henry met Ben gepraat?

Waarom wilde hij in vredesnaam gaan vissen?

'Weet je, ik denk dat hij zich tegen de tijd dat hij uit bad komt niet meer aan zal willen kleden, hij gaat dan in de regel linea recta naar bed...'

Bizarre gedachte: Henry die regelmatig uitgebreid in bad gaat.

'...dus ik kom zelf zo wel even langs om hem te halen, goed?'

'Prima!' zei Ben monter, 'al had ik hem er wel wat uitleg bij willen geven. Morgenochtend zal dat ook wel niet lukken, hè?'

'Niet als jij op je gebruikelijke tijd van huis vertrekt, wij slapen lekker uit!' antwoordde ik opgelucht en vervolgde vlug, voordat Ben voor zou stellen de hengel te komen brengen: 'Ik kom er nu meteen aan!'

Zachtjes legde ik de hoorn terug op de haak. Het bloederige mes legde ik op het bed, daarna trok ik de lingerie uit en gooide die zolang onder de wastafel, waar ik vervolgens mijn armen in schoonspoelde. Ik keek in de spiegel en zag dat er op mijn voorhoofd ook een veeg bloed zat, waar ik kennelijk met mijn hand langs was gestreken. Vlug poetste ik dat er met een washandje af en trok daarna een broek en een T-shirt aan. Beneden in de hal schoot ik mijn sandalen aan en haastte me naar buiten.

Ben deed vrijwel meteen open toen ik aanbelde.

'Dag buurvrouw, kom even binnen,' zei hij en liep voor me uit naar de bijkeuken, waar in een hoek de hengel tegen de muur stond.

'Dit is 'm,' zei hij en pakte het ding op.

De handen die de hengel vasthielden oogden sterk en het viel me op dat de nagels voor een man opvallend netjes waren, bijna alsof ze gevijld en gepolijst waren.

Ben was ondertussen een ingewikkelde uitleg aan het geven over verschillende soorten aas. Ik keek hem aandachtig aan, zonder ook maar een woord te horen.

Hij is iets ouder dan Carolina, ik schat hem ongeveer vijfenveertig, al heeft hij het lichaam van een veel jongere man. Carolina heeft me ooit verteld dat hij iedere week twee of drie keer naar de sportschool gaat en ik zie hem ook regelmatig hardlopen, een zweetband om zijn blonde krullen, een donkere plek tussen zijn schouderbladen.

Ik keek naar zijn mond, naar de scherp omlijnde lippen, die terwijl hij praatte trefzeker bewogen, eerst uit elkaar, dan weer naar elkaar toe. Onder zijn linker neusgat zat een klein rood adertje en ik moest onwillekeurig denken aan mijn moeder, die altijd zei dat mensen met gesprongen bloedvaatjes rondom hun neus stiekeme drinkers waren.

'Denk je dat je het allemaal kunt onthouden?' vroeg Ben.

Ik schrok op.

'Nou... ik hoop het,' stamelde ik onhandig, 'en anders moet Henry je vanuit Zeeland maar bellen, toch?'

'Desnoods kom ik langs om het ter plekke te demonstreren!'

Ben lachte, en opeens zag ik voor me hoe hij eruitgezien moest hebben toen hij een jaar of twintig was. Voller haar, een gladdere huid, nog niet die door het tandemail heen schemerende vulling in de kies achter een van zijn hoektanden.

Terwijl ik teruglachte vroeg ik me af hoe ik eruitzag, in Bens ogen.

Flets, kleurloos, met mijn net niet blonde haar, mijn grijze ogen. Net iets te dik, net iets te serieus. Een buurvrouw aan wie je nooit meer denkt als ze zou verhuizen.

We waren terwijl Ben praatte over de hengel teruggelopen naar de voordeur. Ik wilde hem juist hartelijk bedanken, toen hij zijn hand naar mijn gezicht uitstrekte.

'Linde...' zei hij, 'er zit bloed op je wang...'

'Bloed?' vroeg ik verbaasd.

'Ja, hier vlak bij je oor.'

'Ik... ik heb vanmiddag nog in de tuin gewerkt,' improviseerde ik, 'misschien dat ik me toen heb opengehaald, aan een tak of zo?'

'Nou,' hij pakte mijn kin vast en bekeek mijn wang van dichtbij, 'het is geen schram, het lijken wel bloedspetters. Wacht...'

Ben liet mijn gezicht los en even voelde ik tot mijn eigen verbazing iets wat verrassend veel leek op teleurstelling. Hij haalde uit zijn broekzak een zakdoek te voorschijn en hield die omhoog.

'Helemaal schoon!'

Met het puntje van zijn tong maakte hij het doekje nat en veegde er vervolgens mee over mijn wang.

'Inderdaad, spetters,' constateerde hij.

'Hoe kom ik nou aan bloedspetters...?' vroeg ik.

'Dat zou je zelf toch beter moeten weten dan ik!'

Ben zei het plagerig, maar ik voelde mijn wangen gloeien.

'Tsja, als ik het niet weet...'

Ik duwde de voordeur open en hield de hengel omhoog.

'Bedankt en tot over twee weken!'

'Fijne vakantie!'

Even later was ik terug in ons eigen huis. Míjn huis. Ik voelde me tien jaar ouder dan aan het begin van de dag.

Het kostte me meer moeite dan ik verwacht had om de slaapkamer weer in te gaan, maar het moest. Het plan was Henry nog voordat de lijkstijfheid intrad in de kofferbak van de auto te stoppen. Morgenochtend vroeg zou ik er koffers en tassen bovenop zetten en dan een strategisch moment afwachten om ongezien de straat uit te rijden, want ik wilde niet dat iemand zou zien dat Henry niet voor in de auto zat.

Ik zette de hengel tegen de muur van de gang en klom de trap op. Met mijn hand op de slaapkamerdeur bleef ik staan, om moed te verzamelen.

Ik hoorde iets.

Er kwam geluid uit de slaapkamer, een heel zacht geluid, dat steeds even wegviel en dan weer begon.

Ik wilde weglopen.

Ik wilde gillen.

Ik wilde terugrennen naar Ben en om hulp vragen.

Ik wilde alles doen als ik de slaapkamer maar niet in hoefde te gaan.

Langzaam drukte ik de deurkruk naar beneden en duwde de deur een stukje open. Henry zat rechtop in het bed. Zijn beide handen waren los en hij was bezig de sjaal die om zijn rechter enkel zat eraf te snijden. Hij ging een paar keer met het vleesmes langs de stof en stopte vervolgens even, om op adem te komen. Er had zich rondom zijn mond een rozig schuim gevormd en bij het inademen sperde hij zijn neusvleugels wijd open. Hij zag er afschuwelijk uit. Na een paar keer ademen ging hij verder met het mes. Het kostte hem duidelijk moeite, maar hij bleef zagen, net zo lang tot zijn rechtervoet los was.

Op het moment dat hij aan de andere voet begon, duwde ik de deur wijd open, rende naar het bed en pakte zijn pols vast. Vervolgens probeerde ik het mes uit zijn hand te wringen, maar hij hield het stevig vast.

'Linde!' fluisterde hij en keek me met rooddoorlopen ogen aan.

Van dichtbij zag hij er nog veel gruwelijker uit dan vanuit de deuropening. Zweet parelde op zijn voorhoofd en vlokken van het rossige schuim rond zijn mond gleden langs zijn kin omlaag en vielen op zijn borst.

'Linde, help me...'

Hij keek me aan met een blik die ik nooit zal vergeten, al word ik honderd, al worden mijn hersenen opgevreten door de ouderdom, al weet ik mijn eigen naam niet meer.

Ik kreeg het mes niet los.

Wanhopig keek ik om me heen, op zoek naar iets wat ik als wapen zou kunnen gebruiken, maar ik zag niets.

Toch wel: een kussen.

Ik liet zijn pols los, griste het kussen van het hoofdeind van het bed en drukte het met alles wat ik in me had tegen zijn ogen, tegen zijn gezicht. Ik duwde en duwde tot ik hem mee voelde geven. Hij klapte achterover op het bed, in de enorme plas bloed die zich daar verzameld had. Ik bleef drukken, ik was op mijn knieën op het bed geklommen zodat ik mijn volle gewicht kon gebruiken en duwde het kussen op zijn gezicht, op die bloeddoorlopen ogen, de schuimende mond. Het deed pijn aan mijn schouders, aan mijn armen, aan mijn handen. Terwijl ik duwde was het net alsof ik hem dwars door het kussen heen mijn naam hoorde fluisteren.

'Linde, Linde...'

Ik weet niet hoe lang ik daar heb gezeten, op mijn knieën op het bed. Ik weet dat het op een gegeven moment door me heen flitste dat ik als ik terugkwam van vakantie weer in dit bed zou moeten slapen. Even later bedacht ik dat het niet echt gek zou zijn als ik dat niet deed – een vrouw die door haar man bedrogen is zou toch heel goed een afkeer kunnen hebben van het bed dat ze met hem gedeeld had?

Uiteindelijk, toen het buiten begon te schemeren, vond ik de moed om de druk op het kussen te verminderen, het voorzichtig los te laten. Terwijl het nog op zijn hoofd lag voelde ik aan zijn pols. Niets. Ik tilde het kussen op.

Henry's gezicht zag er vreemd uit. De neus was opzijgeduwd, afgeplat. De lippen waren ook vervormd, ze leken breder dan ze waren toen hij nog leefde. Zijn donkere haren plakten aan zijn voorhoofd, alsof hij net onder de douche vandaan kwam.

Ik voelde met mijn vingers in zijn hals.

Niets.

Ik legde mijn oor bij zijn neus en mond.

Niets.

Hij was dood.

Hij was nu echt dood.

Eindelijk, eindelijk voelde ik wat ik verwacht had te voelen. Een enorme vreugde golfde door me heen, even plotseling en heftig als een elektrische schok. Het was gebeurd, ik had het gedaan!

Ik was vrij.

Met een tomeloze energie ging ik aan de slag. Ik trok mijn kleren uit en stopte die samen met het lingeriesetje in een vuilniszak, die ik van tevoren klaar had gelegd. Vervolgens maakte ik de sjaals en de waslijn waarmee ik hem had vastgebonden los en propte die ook in de vuilniszak. Ik zou het allemaal meenemen naar Zeeland, waar ik alles stukje bij beetje kon laten verdwijnen. De sjaals en de waslijn wilde ik tijdens de vakantie op verschillende plekken in vuilnisbakken stoppen. De kleren zou ik grondig wassen, twee of drie keer, en ze daarna samen met de kleren die Henry bij zijn vertrek zogenaamd had meegenomen in keurige plastic zakken in inzamelingscontainers van Humana of een ander goed doel deponeren.

Ik aarzelde even toen ik het mes in mijn handen had.

Uiteindelijk heb ik ook dat in de vuilniszak gedaan. In het vakantiehuisje kan ik het iedere avond mee laten draaien in de afwasmachine, tot er geen spoortje bloed meer op te vinden is, en dan neem ik het aan het eind van de vakantie gewoon weer mee terug naar huis.

Uiteindelijk lag alleen Henry er nog, midden op het bed.

Nadat ik mijn handen goed gewassen had, trok ik tuinhandschoenen aan en haalde de randen van het laken en het landbouwplastic onder de matras vandaan. Ik vouwde zowel het laken als het plastic om Henry heen en plakte het met afplakband zorgvuldig vast. Daarna gingen de handschoenen uit en dweilde ik de kamer, twee keer. Ik douchte en dweilde daarna nóg een keer, om er zeker van te zijn dat er aan de buitenkant van het pakket geen bloedsporen zouden komen. Toen sjouwde ik met de handschoenen weer aan het hele zaakje naar een hoek van de kamer.

Vervolgens onderwierp ik het nu kale bed aan een grondige inspectie. Ik was bang dat Henry met het mes door het plastic heen geprikt zou hebben, maar de molton zag er maagdelijk uit. Desondanks haalde ik hem voor de zekerheid van het bed af en stopte hem in een vuilniszak. Daarna deed ik om de beide zakken schone vuilniszakken heen. Na nog een keer douchen herhaalde ik alle schoonmaakacties een laatste keer en gaf nu ook de badkamer een grondige beurt.

Toen was het tijd voor de tocht naar beneden.

Gehuld in mijn badjas en met handschoenen aan tilde ik Henry op. Hij was zwaar, het kostte moeite om hem over mijn schouder te hijsen en vervolgens de slaapkamer uit te komen. Ik bleef in de deuropening steken en beukte bij het erdoorheen manoeuvreren hard met één uiteinde van het pakket tegen de muur van de gang. Kort daarna stond ik dan toch boven aan de trap. Toen bleek dat ik hem over de verkeerde schouder droeg, waardoor ik de trapleuning niet vast kon houden. Omdat het erg onhandig zou zijn hem in de krappe gang op de grond te leggen en vervolgens weer op de andere schouder te hijsen, besloot ik door te gaan. Stap voor stap ging ik naar beneden.

Na vijf treden ging het mis.

Ik had niet in de gaten hoe ver Henry aan de achterkant uitstak. Hij raakte met zijn hoofd – of misschien waren het zijn voeten – de vloer van de overloop, waardoor ik mijn evenwicht verloor en naar voren buitelde. Ik schreeuwde van schrik en greep om me heen. Terwijl Henry voor me uit de trap af denderde, kon ik me nog net vastgrijpen aan de trapleuning. Het gaf een enorme knal toen hij tegen de voordeur tot stilstand kwam.

Alle energie stroomde uit me weg.

Ik ging op de trap zitten, ergens halverwege en staarde naar het in zwart landbouwplastic gehulde ding, dat nu in een vreemde bocht tegen de voordeur aan lag. Mijn hele lichaam begon te trillen.

Tot overmaat van ramp hoorde ik de voordeur van Carolina en Ben opengaan. Hadden ze iets gehoord?

Ik hield mijn adem in.

Door het kleine raampje in de voordeur zag ik ze langslopen over de stoep, vaag hoorde ik Carolina praten. Bens gezicht was naar mij toe gekeerd en even leek het alsof hij me aankeek, maar dat was vast verbeelding, hij keek waarschijnlijk gewoon naar Carolina.

Ik stond op, liep naar beneden, pakte Henry vast en sleepte hem door de gang naar de garage. Eenmaal daar deed ik de kofferbak open en hees hem erin, op de plaid die ik gisteren klaar had gelegd. In gedachten zag ik mezelf het geruite ding over een dag of wat gewassen en wel in een container van Humana stoppen. Was het maar vast zover.

*

Vrijdag 21 juni

Ik ben er!

Vraag me niet hoe, maar ik ben zonder kleerscheuren in Zeeland aangekomen. De auto staat met zijn bijzondere vrachtje veilig in de garage, die hier los staat van het huis, wat ik erg prettig vind, merk ik.

Ik heb enorm geluk met het weer, het regent pijpenstelen en de voorspelling voor de komende dagen is al niet veel beter. Dat is mooi, dan zit iedereen binnen en valt het niet op dat ik hier alleen ben.

Ik geef mezelf een dag om een beetje bij te komen, op zondag breng ik hem weg.

Morgen hoef ik niks, behalve even op en neer naar Breskens om te pinnen. Dat is maar goed ook, ik moet uitkijken dat ik niet zo gestrest raak dat ik fouten ga maken. Vanochtend vergat ik bijna naar Henry's werk te bellen. Toen ik op het punt stond te vertrekken dacht ik er pas aan.

'Hallo, Mila,' zei ik opgetogen tegen de secretaresse, 'kan ik Henry even spreken?'

'Die zit nu niet achter zijn bureau…' klonk het aarzelend.

Mooi, dacht ik tevreden. Zij gaat er na mijn vorige telefoontje al helemaal van uit dat hij me belazert.

'Ach, het geeft niet. Ik had hem willen vragen of hij op weg naar huis even langs de drogist wou fietsen, maar ik doe het zelf wel even. Hij zal wel meer dan genoeg aan zijn hoofd hebben denk ik, de laatste dag voor de vakantie!'

'Een hele fijne vakantie,' zei Mila tactisch.

Ze had geen woord tegen me gelogen, een hele prestatie.

*

Zaterdag 22 juni

Het is niet te geloven, ik voel me alleen.

Het regent nog steeds verschrikkelijk, wat op zich prima is, maar ik kan nergens heen. De auto moet in de garage blijven totdat ik me van het pakket ga ontdoen – stel je voor dat ik hem ergens parkeer en hij wordt opengebroken, of nog erger, gestolen.

Als ik er lopend op uitga, ben ik veroordeeld tot de directe omgeving, dan kom ik niet verder dan Breskens zelf, of een van de strandpaviljoens hier in de buurt. En dat is óók riskant, want we huren dit huisje onder aan de duinen nu al jaren en er zijn een hoop mensen die ons kennen. Als die me hier in mijn eentje zien rondlopen, gaan ze vragen stellen.

Vanochtend wilde ik de fiets pakken, om in Breskens even te gaan pinnen en vervolgens lekker naar Schoondijke of Groede te gaan, daar wat te winkelen of misschien ergens te lunchen. Dat is ver genoeg, daar kennen ze me niet. Er staan hier twee fietsen in de garage, dat is een van de vele voordelen van dit huisje.

De achterband van de damesfiets was lek.

Henry plakte altijd de banden.

Ik ben lopend naar de pinautomaat gegaan, waar ik weer duizend euro gehaald heb. Morgen en overmorgen doe ik het weer en dan neem ik op de dag van zijn zogenaamde verdwijning voor de laatste keer met zijn pas geld op.

Toen ik terugkwam uit Breskens ben ik in arren moede naar het knullige supermarktje van de camping hiertegenover gegaan. Daar heb ik een strandschep en wat tijdschriften gekocht; een *Margriet*, een of ander royaltytijdschrift en nog een roddelblad, veel soeps was er niet. Stom genoeg dacht ik er niet aan dat ik ook eten in huis moest halen, dus kon ik er meteen nóg een keer heen. Het meisje aan de kassa maakte een vriendelijk grapje, dat ik een vaste klant aan het worden was, terwijl het juist mijn bedoeling was op geen enkele manier op te vallen.

Vanmiddag heb ik mijn regenjas aangetrokken en ben met Henry's zuidwester diep over mijn oren naar buiten gegaan. Ik ben boven op de duinen geklommen en daar over het met schelpen bestrooide paadje gaan wandelen, richting het westen. Het uitzicht was prachtig, een grauwe lucht, onstuimige golven die tegen de met containers afgeladen zeeschepen beukten en aan de overkant Vlissingen, zo dichtbij dat ik een aantal gebouwen kon herkennen.

De regen striemde in mijn gezicht, mijn broekspijpen waren binnen de kortste keren doorweekt. Het voelde goed. Bij iedere pas die ik tegen de wind in zette, voelde ik me vrijer. Tegen de tijd dat ik de zwart-witte vuurtoren passeerde, was ik bijna uitgelaten.

Na anderhalf uur lopen kwam ik bij een strandtent waar we vorig jaar zomer wel eens gezeten hadden, we waren er toen tijdens een fietstocht langsgekomen. Ik aarzelde even en besloot toen de gok te wagen. Zodra ik de deur opendeed wist ik dat het een vergissing was.

Op één tafeltje na was de zaak verlaten. Maar de mensen

aan dat ene tafeltje, die kende ik. Het waren Cor en Wilma, een stel van onze leeftijd, we komen hen al jaren met enige regelmaat tegen. Vorig jaar zijn ze zelfs een avond bij ons op de borrel geweest, in het vakantiehuisje.

Vliegensvlug trok ik de deur weer dicht. Net voordat hij dichtviel zag ik hen opkijken, gelukkig had ik de zuidwester nog niet afgedaan. Zo snel als ik kon liep ik weg, het duin op. Eerst nog een klein stukje verder over het paadje en vervolgens bij de eerste de beste trap omlaag, naar het weggetje dat achter de duinen langs kronkelt. Ik gokte erop dat Cor en Wilma ofwel over het strand, ofwel over de duintop terug zouden lopen naar Breskens en dat ik achter de duinenrij veilig zou zijn.

Tegen de tijd dat ik thuiskwam was ik door en door koud, maar ik durfde pas te gaan douchen toen ik alle gordijntjes half dicht, half open had gedaan, zoals ze hangen op het moment dat het huisje leeg is. Het Duitse bord *Zu Vermieten*, dat ik altijd meteen bij aankomst weghaal voor het raam van de keuken, zette ik terug.

Nu zit ik in het kleine slaapkamertje aan de achterkant van het huisje, de enige plek waar ik het licht aan durf te doen. Ik snak naar de tv, maar de gordijnen van de huiskamer zijn van dun katoen en ik ben bang dat het licht van het scherm van buitenaf zichtbaar zal zijn.

Ik heb de *Margriet* voor de tweede keer gelezen, ook al was het de eerste keer al duidelijk dat er eigenlijk niets in stond. Ondertussen heb ik me tot overmaat van ramp gerealiseerd dat ik nóg een fout heb gemaakt.

Ik ben vrijdagochtend vertrokken, meteen na het telefoontje naar Henry's secretaresse. Met dat telefoontje heb ik de suggestie gewekt dat we pas aan het eind van de dag, of de volgende ochtend zouden vertrekken. Terwijl ik de sleutel voor het huisje precies om drie uur heb afgehaald bij de verhuurder. Als er een onderzoek komt naar Henry's verdwijning zal zo'n discrepantie natuurlijk vragen oproepen. Het plan waar ik zo trots op was, waar ik alle vertrouwen in had, zal als een kaartenhuis instorten.

*

Zondag 23 juni, 20.00 uur

Ik voel me hondsberoerd. Vannacht had ik het vreselijk koud, ik kon maar niet warm worden. Om twee uur ben ik opgestaan om een hete douche te nemen. Dat werkte even, maar na een half uur lag ik weer te rillen in bed. Ik heb overal spierpijn en mijn hoofd voelt alsof ik al een week een te strakke muts draag. En natuurlijk had ik geen aspirientjes in huis.

Ik heb rondom Henry's verdwijning alles tot in de puntjes uitgedacht, daar heb ik me helemaal op gericht, waardoor de verdere voorbereiding van deze vakantie een puinhoop is. Ik heb voor mezelf nog niet eens een goed boek meegenomen.

Ik moest de deur uit, om te pinnen. Dat heb ik vanochtend rond een uur of elf gedaan. De C1000 was gelukkig open en daar heb ik vlug wat pijnstillers gehaald, aan de servicebalie. De rest van de dag heb ik in bed doorgebracht, om op krachten te komen.

Straks ga ik hem begraven.

*

Maandag 24 juni, 02.00 uur

Wat een nacht!

Het is goed dat ik dit maar één keer hoef te doen, ik ben er niet voor in de wieg gelegd, dat is me inmiddels wel duidelijk.

Ik ben om tien uur vertrokken. Voordat ik de auto de garage uitreed heb ik goed gekeken of de weg leeg was. Het miezerde een beetje, dus over het pad op de duintop maakte ik me geen zorgen.

Ik ben over de wat grotere wegen gereden, waar verkeer minder opvalt. Nadat ik bij Sint Anna ter Muiden de grens over was gegaan ben ik via afgelegen binnenweggetjes naar de zuidrand van het Zwin gereden. Ik ken het gebied goed, want voordat we het huisje waar ik nu zit ontdekten, gingen we jarenlang iedere zomer naar Knokke en van daaruit wandelden we regelmatig in het Zwin.

Op een afgelegen weggetje heb ik de auto in de berm geparkeerd en ben vervolgens met Henry's lichaam over mijn schouder de duinen in gegaan. Het miezerde nog steeds en het was koud, maar ik had nergens last van. Om geen sporen op het pakket achter te laten droeg ik een gloednieuwe, donkerblauwe regenjas over mijn gewone jas en ik droeg gloednieuwe, veel te grote regenlaarzen over mijn gymschoenen.

Na een paar eindeloze minuten lopen, vond ik het plekje dat ik in gedachten had. Het was een beschutte duinpan waar ik ooit, jaren geleden, een middag had doorgebracht nadat ik vanwege een ruzie ons appartement ontvlucht was. Tevreden legde ik Henry neer onder een struik en keek om me heen. De beste plek voor de kuil was midden in de duinpan, daar was weinig begroeiing waardoor ik met mijn schep niet op wortels van struiken zou stuiten.

De schep.

Die had ik in de auto laten liggen.

Binnensmonds vloekend liep ik over het donkere paadje terug naar de auto. De regen was van de ene kant prettig; de kans dat ik iemand tegen zou komen werd er aanmerkelijk door verkleind, alleen maakte het wolkendek het ook behoorlijk donker en ik wilde mijn zaklamp liever niet gebruiken. Ik struikelde twee keer, waarbij ik één keer mijn evenwicht helemaal verloor, op de grond terechtkwam en mijn knie schaafde. Met een vertraging van bijna een half uur zette ik uiteindelijk de schep in het zand van de duinpan.

Het was zwaar werk, door de regen was het zand nat en ik wilde diep gaan, om te voorkomen dat Henry door erosie of een enthousiaste hond snel te voorschijn zou komen. Als dat over een paar jaar gebeurt, is er niets aan de hand, de kans dat hij dan nog geïdentificeerd wordt is mede dankzij mijn actie bij de tandarts klein, maar als hij binnen het jaar komt bovendrijven, is het risicovol.

Nadat ik ongeveer een uur had gegraven was, brak de steel van de schep.

Ik kon mezelf wel schoppen dat ik er maar één gekocht had. Hoe had ik zo stom kunnen zijn om te denken dat een strandschep bestand zou zijn tegen dit zware werk?

Omdat ik ertegen opzag verder te graven met het afgebroken ding probeerde ik in te schatten of de kuil inmiddels diep genoeg was, maar ik kon het moeilijk zien. Ik haalde de zaklamp uit de zak van mijn regenjas en knipte hem aan.

De kuil was ongeveer zestig centimeter diep.

Niet diep genoeg.

In het schijnsel van de lantaarn liet ik me in de kuil zakken, met het idee dat ik op die manier gemakkelijker verder zou kunnen graven. Ik gleed uit en kwam ongelukkig op mijn voet terecht. Een scherpe pijn schoot door mijn enkel en ik schreeuwde het uit.

'Hallo, is daar iemand?' klonk een stem van akelig dichtbij, gevolgd door het blaffen van een hond.

'Af, Brownie,' zei de stem, maar het blaffen hield niet op. Het werd eerder harder, alsof het dier dichterbij kwam. Ik dook zo diep mogelijk weg in de kuil.

'Is daar iemand? Hallo?'

Ik durfde niet te kijken, maakte me zo klein mogelijk en hoopte vurig dat de man weg zou gaan. Ik wist dat er aan de kant waar hij vandaan kwam geen pad was dat naar de duinpan toe leidde, er stonden daar dichte struiken. Hopelijk genoeg om hem dusdanig te belemmeren dat hij om zou keren.

Op het blaffen van de hond na bleef het stil.

'Kom, jongen,' zei de stem, maar de hond bleef bezig.

'Kom nou!' klonk het geïrriteerd. 'Hé, Brownie! Kom hier!'

Het geblaf kwam dichterbij en ik hoorde geritsel in de struiken. De hond was losgebroken en probeerde zich erdoorheen te wringen.

Hij zou mij ontdekken, hij zou Henry ontdekken, hij zou met zijn tanden het landbouwplastic losscheuren...

Mijn hart bonkte in mijn keel, terwijl ik probeerde zo stil mogelijk uit de kuil te klimmen, om weg te kunnen lopen zodra de hond het pakket ontdekte. Zou het lijk hem zo bezighouden dat hij mij liet gaan? Als ik heel snel naar de auto rende en wegreed, terug naar Nederland, zou mijn plan dan toch misschien nog kans van slagen hebben?

Terwijl ik op mijn buik naast de kuil lag, drong het tot me door dat de hond niet dichterbij kwam. Hij was stil blijven staan op ongeveer twee meter van het ingepakte, afgeplakte lichaam. Hij ging als een idioot tekeer, ik zag zijn witte tanden glimmen in het donker. Hij rukte aan zijn riem, die hem tegenhield. Die was in de struiken verstrikt geraakt.

Vlug liet ik me weer in de kuil glijden en drukte mijn lichaam tegen de grond. De man kwam ondertussen mopperend dichterbij.

'Wat is er, jongen?' vroeg hij. 'Kom, ik maak je los. Het is genoeg, we gaan naar huis, begrepen?'

Hij voerde de protesterende hond terug naar het pad waar ze vandaan kwamen. Langzaam stierf het geluid van het blaffen weg.

Pas toen ik niets meer hoorde, durfde ik voorzichtig op te staan. Mijn benen waren stijf geworden, mijn enkel deed zeer en mijn handen waren verkleumd. Even kwam ik in de verleiding om Henry gewoon in het gat te rollen, het uitgegraven zand erbovenop te kiepen en weg te gaan, maar mijn verstand won het van mijn gevoel. Ondanks het feit dat hij in plastic was ingepakt, had de hond Henry geroken, zoveel was duidelijk. Daarmee was op overtuigende wijze aangetoond dat het graf diep moest zijn.

Met de afgebroken schep ben ik nog anderhalf uur bezig geweest, in de regen en de kou. Toen was ik tevreden over het gat dat ik gegraven had. Ik rolde het pakket erin en bedekte het met zand. Vervolgens stampte ik dat goed aan en strooide er nog wat los zand overheen, gevolgd door wat bladeren en takjes die ik onder de struiken vandaan haalde. Hopend dat de verdere sporen van mijn graafwerkzaamheden door de regen en de wind uitgewist zouden worden, strompelde ik doodmoe terug naar de auto.

Die stond gelukkig trouw op me te wachten. Ik deed de laarzen en het regenjack uit en stopte die in een vuilniszak in de kofferbak, samen met de schep. Terwijl ik de motor startte vervloekte ik mezelf omdat ik niets te eten of te drinken meegenomen had. Tot overmaat van ramp bleek ook dat er heel weinig benzine in de tank zat. Hoewel het meer tijd zou kosten, besloot ik daarom de in kilometers kortere route via Retranchement te nemen, want ik wilde niet hoeven tanken.

Tegen de tijd dat ik door Cadzand reed ontspande ik wat. De auto was inmiddels lekker op temperatuur en de ergste kou begon uit mijn lijf te verdwijnen. Desondanks verlangde ik ernaar terug te zijn in het huisje, iets te eten, een lekkere warme douche te nemen. Ongemerkt ben ik daardoor waarschijnlijk harder gaan rijden. Bij een kruising zag ik van rechts een auto aankomen, maar ik ging ervan uit dat ik voorrang had, dus ik remde niet af.

De andere auto reed ook door.

Misschien had hij toch voorrang, of hij onderschatte mijn snelheid. Hoe het ook zij, ik raakte hem. Niet hard, het was eigenlijk nauwelijks voelbaar. Ik hoorde glas rinkelen en in een reflex trapte ik op de rem. Ongeveer vijf meter voorbij de kruising kwam de auto tot stilstand. Ik keek achterom, naar de andere auto en zag dat zijn linkerkoplamp verbrijzeld was. Terwijl ik keek, deed de chauffeur zijn portier open en maakte aanstalten om uit te stappen.

Opeens realiseerde ik me dat ik me dit niet kon permitteren. Ik wilde geen schadeformulieren invullen, die door verzekeraars tot in lengte van dagen zorgvuldig bewaard zouden worden.

Nu, dacht ik en trapte op het gaspedaal. Terwijl ik doorschakelde keek ik in de spiegel en zag dat de andere automobilist zijn vuist naar me balde. Ik was als de dood dat hij me achterna zou komen, dus bleef ik terwijl ik Cadzand uitreed in de spiegel kijken, of er achter me lichten zouden verschijnen op de weg. Wat niet gebeurde.

Even was ik daardoor gerustgesteld.

Toen bedacht ik me dat het óók zou kunnen betekenen dat hij mijn kenteken had opgeschreven, of dat hij het signalement van mijn auto met zijn gsm had doorgebeld aan de politie.

Wat te doen?

Doorrijden?

Of de auto ergens in de buurt van de weg uit het zicht parkeren en dan kijken of er politie aankwam?

Een reclamebord kondigde een restaurant aan waar Henry en ik tijdens onze vorige vakantie een keer gegeten hadden. Ik herinnerde me dat er een grote, gedeeltelijk door bomen afgeschermde parkeerplaats bij was. Snel draaide ik de auto daar op en doofde de lichten. In een uithoek vond ik een beschut plaatsje achter wat struiken. Dicht bij het gebouw stonden een paar auto's, dus keek ik terwijl ik de weg in de gaten hield regelmatig ook even naar de uitgang van het restaurant. Als er mensen naar buiten kwamen wilde ik achter de stoelleuning wegduiken, zodat ze me niet zouden zien.

Na een minuut of vijf reed er een auto voorbij, maar het was geen politiewagen en beide koplampen brandden, dus was het waarschijnlijk ook niet de auto die ik geraakt had. Na nog een kwartier waarin er geen verkeer langsreed, besloot ik dat het veilig was om door te rijden.

De terugreis verliep verder zonder incidenten. Om half een parkeerde ik in de garage van het vakantiehuisje. Ik besloot de schade aan de auto pas de volgende dag te bekijken, omdat ik uitgeput was, en ook omdat het niet slim zou zijn na middernacht het licht in de garage aan te doen. De kans dat iemand dat zou zien was weliswaar klein, maar áls ze het zouden zien zou het – zeker bij bekenden – vragen op kunnen roepen.

*

Maandag 24 juni, 19.00 uur

De schade aan de auto valt mee!

Dat is het eerste wat ik vanochtend gedaan heb, toen ik met een houten hoofd en stramme spieren tegen elven wakker werd. Nog voor ik een aspirientje in had genomen heb ik vlug wat kleren aangedaan om vervolgens via de achterdeur naar de garage te lopen. Ik zag meteen dat het niet ernstig was, alleen een kleine barst in de koplamp en een paar krassen op de bumper, verder niets. Die andere auto moet op het laatste moment flink geremd hebben, anders was er meer aan de hand geweest.

Met het voornemen om later de bumper en de koplamp goed schoon te maken ging ik weer naar binnen, naar de keuken, koffie zetten. Terwijl die doorliep bekeek ik in de badkamer mijn gezicht. Ook daar viel de schade mee. Ik zag er moe uit, flinke wallen onder mijn enigszins rooddoorlopen ogen, maar dat gaf niet, het zou juist goed kunnen passen bij mijn nieuwe rol. Hoewel die eigenlijk pas donderdag in zou moeten gaan, wanneer de verdwijning zogenaamd plaats zal vinden. Ik wil ruim de tijd nemen om alle sporen weg te werken, voor het geval iemand onverhoopt besluit mij te komen troosten.

Nadat ik de auto en mijn gezicht bekeken had, gunde ik mezelf de tijd om uitgebreid te ontbijten. Maar gaandeweg ontdekte ik dat de rust me ontbrak, ik kon er niet echt van genieten. Er waren ondanks mijn zorgvuldige voorbereiding toch nog te veel losse eindjes en onder die omstandigheden was rustig zitten en genieten niet haalbaar.

Na het ontbijt ben ik naar Breskens gelopen, zo veel mogelijk via achterstraatjes, totdat ik bij de Rabobank was. Daar heb ik weer duizend euro gepind.

Stel je voor, dacht ik toen ik terugliep, dat ik per ongeluk met mijn eigen pasje zou pinnen? Ik werd helemaal beroerd bij die gedachte, maar alles was oké, mijn eigen pasje bleek ik zelfs helemaal niet bij me te hebben.

Ik was eigenlijk van plan rustig aan te doen, om te voorkomen dat ik door haastwerk en vermoeidheid brokken zou maken, alleen lukte het me niet om te ontspannen. Dus ben ik gewoon maar aan de slag gegaan.

Gewapend met een emmer sop trok ik naar de garage. Ik begon met de auto zelf, poetste de koplamp en de bumper grondig en vervolgens de rest ook, omdat het er anders vreemd uitzag. De krassen op de bumper waren lichter van kleur, wat erg opviel toen de auto schoon was. Ik keek om me heen, op zoek naar iets waarmee ik dat wit donker zou kunnen maken. Achter in de garage stond een barbecue, daar haalde ik een stukje kool uit waarmee ik voorzichtig over de beschadigingen streek. Dat pakte niet. Nadat ik de bumper opnieuw had gewassen, heb ik binnen mijn oogpotlood gehaald. Daarmee ging het prima, de krassen vielen niet meer op.

Vervolgens haalde ik de vuilniszak waar de laarzen en het regenjack in zaten uit de kofferbak. Eerst spoelde ik de laarzen schoon in het sop waarmee ik ook de auto had gewassen. Het regenjack was lastiger, ik twijfelde of ik het mee naar binnen moest nemen om het daar af te spoelen, of dat het voorlopig verstandiger was het gewoon in een hoek van de garage op te hangen, totdat ik het ergens ver weg kon dumpen. Dat laatste zou wel even duren, het leek me na de aanrijding beter om de auto de komende dagen in de garage te houden. Ook de zakken met Henry's kleding en de kleren die ik vorige week donderdag aan had – allemaal inmiddels grondig gewassen – zou ik dus voorlopig nog niet kunnen wegbrengen.

Nog steeds twijfelend wat ik met de regenjas moest doen, pakte ik de plastic zak op, met de bedoeling hem bij het overige vuilnis te doen.

Er zat nog wat in.

De schep, natuurlijk.

Ik pakte hem eruit en stak hem in het sop. Pas toen ik hem daar weer uithaalde realiseerde ik me dat ik het afgebroken deel van de steel niet had. Dat lag nog in de duinpan.

Ik had de neiging om onmiddellijk in de auto te springen, erheen te rijden en het ellendige stuk hout op te halen, maar dat kon natuurlijk niet. Ik moest daar nooit meer komen, op die plek, niet eens in de buurt.

Op de een of andere manier moest ik het deel van de schep dat ik wél had meegenomen spoorloos laten verdwijnen, maar hoe? Ik kon het niet in de buurt van het huisje achterlaten, dat zou heel onverstandig zijn. Maar ik kon ook moeilijk een eind gaan wandelen met een afgebroken schep.

Op dat moment viel mijn oog op een stapel houtblokken in de hoek van de garage.

Een haardvuur, dat was de oplossing.

Ik probeerde het metalen deel los te wrikken van de houten steel, maar dat lukte niet. Uiteindelijk besloot ik dat ik het ding in zijn geheel in de open haard zou zetten. Het metaal zou ik eruit vissen als de vlammen gedoofd waren, dat zou ik morgen gemakkelijk in een tas mee kunnen nemen om het ergens onopvallend in een vuilnisbak te stoppen.

Nadat ik de schep tegen de muur van de garage te drogen had gezet, heb ik de auto van binnen nog grondig gestofzuigd, ook de kofferbak. Ik nam me voor dat opnieuw te doen ergens bij een benzinestation, daar hebben ze krachtiger stofzuigers, maar goed, dat is voor volgende week.

Binnen in het huisje heb ik alle spullen die ik pas af kan voeren als ik weer met de auto weg durf, verzameld en op zolder verstopt, onder een van de bedden die daar staan.

Toen was ik klaar.

De rest van de dag heb ik wat gelummeld, een beetje tv gekeken met de gordijnen dicht, een kruiswoordpuzzel gemaakt. Nu wordt het donker, tijd om de haard aan te maken.

*

Dinsdag 25 juni, 23.00 uur

Het is gelukt! Het ging niet gemakkelijk, de steel wilde eerst geen vlam vatten. Gelukkig lagen er heel wat aanmaakblokjes bij de haard, waarmee het uiteindelijk prima ging, al duurde het meer dan een uur voordat het stuk hout verkoold was. De metalen schep heb ik met een tang tussen de nasmeulende resten vandaan gevist en in een emmer water gegooid om af te koelen. Daarna heb ik hem grondig schoongemaakt, om alle sporen van roet te verwijderen. Dat werd een hele smeerboel, waarbij ikzelf ook helemaal vies werd, ik was een hele tijd bezig voordat alles weer schoon was. Morgen dump ik het onding, dan is er alweer een los eindje weggewerkt.

*

Woensdag 26 juni, 10.00 uur

Eigenlijk was de verdwijning pas voor donderdag gepland, maar vannacht heb ik besloten om het één dag te vervroegen. Ik ben er klaar voor, waarom zou ik wachten? Hoe eerder hoe beter, dan hoef ik niet meer zo krampachtig onzichtbaar te zijn. Bovendien gaat een man die van plan is zijn vrouw te verlaten toch ook niet bijna een hele week met haar in een vakantiehuisje zitten.

Ik heb vanochtend vroeg met Henry's mobiel naar de Stena Line gebeld, om te kijken of ik de reservering nog kon vervroegen. Dat lukte, dat was de eerste meevaller. Ook daarna zat het mee: toen ik op pad ging om het metalen deel van de schep weg te gooien, bleek er in de vuilnisemmer op het strand nog een hele hoop rommel van gisteren te zitten, zodat ik het ding goed kon verstoppen. Ik was er vroeg bij, het strand was nog zo goed als verlaten en ik kwam geen bekenden tegen.

Zelfs het weer werkt mee vandaag, de zon schijnt voorzichtig tussen wat sluierwolken door.

We zaten vanochtend samen in de tuin, achter het huisje, ik met een boek, Henry met de krant. Op een gegeven moment ging hij naar binnen, nadat hij me een kop koffie in had geschonken en had gevraagd of ik verder nog iets nodig had. Ik zocht daar natuurlijk niets achter.

Na verloop van tijd hoorde ik een auto stoppen op de weg die voor het huisje langs loopt. Ik hoorde portieren open en dicht gaan, maar sloeg daar geen acht op, vlakbij is een strandopgang en ik ging ervan uit dat er daar iemand werd afgezet of opgepikt. Toen ik Henry anderhalf uur niet gezien had, ben ik binnen poolshoogte gaan nemen.

Hij was niet beneden, en toen ik hem riep gaf hij geen antwoord. Een beetje bezorgd liep ik de trap op, hij is een hardwerkende man, op een leeftijd dat je ergens in je achterhoofd rekening houdt met de mogelijkheid dat hij opeens iets aan zijn hart zou kunnen krijgen.

Hij was niet boven. In onze slaapkamer stonden de deuren van de kledingkast wijd open. De kast zag er nogal leeg uit en toen ik goed keek, zag ik dat al zijn kleren weg waren. Zijn koffer was ook verdwenen, ontdekte ik toen ik boven op de kast keek. Hij was zomaar weggegaan.

Dat zal mijn verhaal zijn.

*

Donderdag 27 juni, 14.30 uur

Dankzij het redelijk mooie weer heb ik gisterochtend inderdaad in de tuin kunnen zitten. Twee stoelen had ik klaargezet, bij de witte tuintafel. Ik heb de parasol ook te voorschijn gehaald, hoewel dat wat de kracht van de zon betreft nog niet echt nodig was. Ik heb hem zo neergezet dat de mensen op het duinpad niet konden zien dat de tweede tuinstoel op de gebloemde kussens na leeg bleef.

Ik was vergeten de tuindeuren met de haakjes vast te zetten, waardoor ze heen en weer bewogen in de wind. Terwijl ik in een tijdschriftje zat te bladeren, ving ik daardoor steeds een glimp van mijn spiegelbeeld op. Een vreemde vrouw met holle ogen en een strakke mond keek me van onder een rieten zonnehoed aan. Het was net niet verontrustend genoeg om op te staan en de deur te sluiten. Toch was ik blij toen de deur uiteindelijk vanzelf dichtwaaide.

Na een half uur ben ik naar binnen gegaan om vervolgens met een zomerjas aan via de voordeur het huisje weer te verlaten. Zo vlug als ik kon ben ik naar Breskens gelopen om nog een laatste keer te pinnen.

Toen ik thuiskwam heb ik de deuren naar de tuin opengezet, ze ook vastgezet dit keer, waarna ik in de huiskamer met mijn eigen gsm het nummer van die van Henry gebeld heb. Ik heb een bericht ingesproken, dat door niemand afgeluisterd zal worden, want ik ga die telefoon natuurlijk uit elkaar halen, om daarna de onderdelen op verschillende plekken weg te gooien.

Dat ik toch iets insprak heeft te maken met een bijna bijgelovig gevoel, dat ik alles zo echt mogelijk na moet spelen. Dus heb ik drie keer gebeld en steeds wanhopiger klinkende berichten achtergelaten. De komende dagen zal ik regelmatig blijven bellen, zelfs nadat ik zijn telefoon gedumpt heb.

Na de drie wanhopige voicemails heb ik het nummer van ons huis in Rotterdam gedraaid. Ik liet de telefoon lang overgaan en belde na een pauze van ongeveer een minuut opnieuw. Nadat ik het toestel weer een hele tijd had laten rinkelen, toetste ik het nummer van Carolina in.

'Linde... is er iets?' vroeg ze, verbaasd mijn stem te horen.

'Nee, niet echt, tenminste...'

Ik liet mijn stem wegzakken en snikte in de telefoon.

'Henry is weg... We zaten samen in de tuin en hij ging naar binnen en nu is hij weg...'

'Is hij niet gewoon even wandelen, of winkelen?'

'Nee, hij is weg. Al zijn kleren zijn weg en zijn koffer ook...'

'O, jee...'

'Ik wilde je vragen of je wilt kijken of hij thuiskomt, me wilt bellen als dat gebeurt...'

'Natuurlijk, natuurlijk,' zei Carolina. Ze klonk ongerust.

'Red je het wel daar? Kom je niet liever thuis? Of heeft Henry de auto...'

Ik liet een stilte vallen, en toen ik weer praatte lukte het om mijn stem te laten trillen.

'Ik weet het niet, ik heb nog niet in de garage gekeken...'

'Kijk even, Linde en bel me dan meteen terug, oké?'

Zonder iets te zeggen heb ik haar weggedrukt. Voor de vorm ben ik naar de garage gelopen. Eenmaal terug bij de telefoon heb ik voor de zekerheid eerst tot honderd geteld voordat ik Carolina weer belde.

'De auto staat er nog en de herenfiets die bij het huisje hoort ook. Hoe is hij dan weggegaan?'

'Ik weet het niet,' zei Carolina, 'lopend misschien?'

'Ja. Ik bedenk me net dat ik ook een auto heb horen stoppen, voor het huis. Ik dacht...'

Ik dreunde trouw de voorbereide tekst op over de strandopgang. Carolina zei me nog een keer dat ik erover na moest denken of ik niet liever naar huis kwam, maar ik zei dat ik beter hier op Henry kon wachten. Ik gaf haar mijn mobiele nummer zodat ze me zou kunnen bereiken zodra ze in ons huis een teken van leven waarnam. Per ongeluk gaf ik haar eerst het nummer van Henry's telefoon, dat ik de hele tijd in had zitten toetsen. Dat kwam natuurlijk heel overtuigend over en ik prees mijzelf in stilte voor de discipline die ik opgebracht had om alles na te spelen.

Het telefoontje naar Carolina was rond twaalven.

Meteen daarna ben ik met het rugzakje dat al klaarstond vertrokken, over het fietspad dat achter de duinen langs loopt naar de veerboot. Ik had mijn haar in een staart gebonden, wat ik nooit doe en de zonnehoed opgezet. Verder had ik de kraag van mijn zomerjas omhooggezet en ik droeg een zonnebril.

Aan het loket van de veerdienst heb ik twee kaartjes gekocht en die met Henry's pas afgerekend. Achteraf vond ik dat niet zo'n slimme zet, de kaartjes waren zo goedkoop dat ik ze beter contant had kunnen afrekenen. Als het spoor dat ik achterlaat te overdadig wordt, verliest het aan geloofwaardigheid.

Het duurde even voordat de boot zou vertrekken, maar we mochten al aan boord, gelukkig. Ik voelde me daar veiliger dan in de wachtruimte vlak bij het fietspad, want ik was er vrij zeker van dat ik onderweg naar Vlissingen geen bekenden tegen zou komen. De andere vakantiegangers zouden, nu het na dagen regen eindelijk mooi weer dreigde te worden vast liever naar het strand gaan of een fietstocht maken, dan dat ze de stad op zouden zoeken. Toch ben ik zo onopvallend mogelijk in een hoekje blijven zitten, totdat de boot aan de overkant aanlegde.

Zodra ik van boord was heb ik voor de zekerheid Carolina gebeld.

'Hallo, nog even met Linde,' zei ik toen ze opgenomen had.

'Linde, hoe is het met je? Is er al nieuws?'

'Nee, nee, ik heb van Henry nog niets gehoord. Maar ik bel je om te zeggen dat ik vanavond alleen op mijn mobiel bereikbaar ben, mocht hij in Rotterdam verschijnen. Nadat ik jou gebeld had stond er opeens een bevriend stel voor de deur, die we hier al jaren ontmoeten. Ze kwamen op de bonnefooi langs om bij te praten en toen ze het verhaal hoorden stonden ze erop me vanavond mee uit eten te nemen, heel lief. Ze willen niet dat ik alleen ben. Ik blijf misschien vannacht ook bij ze slapen, dat hebben ze in ieder geval aangeboden. Ze hebben in hun huisje de ruimte en het idee om hier vannacht alleen...'

Ik snikte.

'Ik ben blij te horen dat er iemand bij je is,' zei Carolina na een korte stilte. 'Weet je, ik maakte me daar ook al zorgen over, ik dacht net dat ik misschien naar je toe moest komen...'

Ik snikte weer, alleen was het nu geen toneelspel. Het feit dat ze overwogen had naar me toe te komen ontroerde me zo dat ik even de neiging had om haar te vragen inderdaad naar Zeeland te komen, bij me te zijn. Wat zou het heerlijk zijn als er iemand voor me was, als iemand me troostte, zich over me ontfermde.

Dwars door mijn ontroering heen voelde ik ook opluchting – stel je voor dat ik haar niet voor de zekerheid nog een keer gebeld had? Als ze naar Breskens was afgereisd en daar een verlaten huisje aan had getroffen, waar niet op de bel gereageerd werd, wat zou ze dan gedaan hebben? In het gunstigste geval zou ze me op mijn mobiel hebben proberen te bereiken, maar hoe had ik dan kunnen verklaren dat ik in de verste verte niet in de buurt was? En wat als ze zo ongerust was geworden dat ze de politie had ingeschakeld?

'Beloof me dat je bij ze blijft slapen vannacht, Linde?'

Carolina's stem verbrak mijn overpeinzingen.

'Ja, dat zal ik doen,' fluisterde ik.

'Hou je taai, Linde, het komt op de een of andere manier heus goed!'

Het klonk alsof Carolina zelf ook bijna in tranen was. Met een brok in mijn keel nam ik afscheid van haar.

Toen ik opgehangen had ben ik snel naar het station gelopen, waar ik weer twee kaartjes gekocht heb, eerste klas naar Hoek van Holland. Voordat de trein vertrok had ik gelukkig tijd om in de kiosk een stapel tijdschriften en wat boeken te kopen, zodat ik de komende dagen eindelijk iets fatsoenlijks te lezen heb.

Eenmaal in de trein bleek echter dat ik me totaal niet kon concentreren, ik was veel te zenuwachtig. Dit was het kwetsbaarste stuk van de hele onderneming, de intercity naar Rotterdam en het daar overstappen op een volgende trein. Maar hoewel ik me niet kon concentreren, heb ik de hele tijd een tijdschrift in mijn handen gehad, als een soort scherm waarachter ik me kon verschuilen.

Ik zat alleen op een oranje tweepersoonsbankje, mijn rugzakje naast me als barrière tegen gezelschap. Voor mij waren er twee bankjes tegenover elkaar, waar drie opvallend donker geklede bejaarde dames zaten. Terwijl mijn niet lezende ogen naar het tijdschrift tuurden, hoorde ik ze met elkaar praten.

'Het was een mooie dienst, hè?'

'Ja, de dominee sprak goed, vond ik.'

Stilte.

'Die toespraak van David, die vond ik ook zo mooi.'

'Dat zal haar goed gedaan hebben, denk ik, om die jongen na alle moeilijkheden zo over zijn vader te horen spreken.'

'Een hele troost...'

Weer stilte.

'Ze zegt dat hij er helemaal van af is, van die rommel...'

'Ik hoop het. Ik hoop het voor haar, dan heeft ze tenminste wat aan hem. Maar ik vraag het me af...'

'Ze zeggen dat je er nooit écht van loskomt, als je die rotzooi eenmaal bent gaan spuiten...'

'Hij heeft anders wel therapie gehad, dat heeft Trudy me zelf verteld. Hij is zelfs intern behandeld, in zo'n centrum. Daar werken allemaal doktoren en psychiaters en hij heeft ook een of andere behandeling gehad met narcose erbij...'

'Ja, dat heeft ze mij ook verteld. En natuurlijk wil ze graag geloven dat het helemaal goed is, het is per slot van rekening haar zoon. Maar ik heb mijn twijfels. Niet dat ik dat tegen haar gezegd heb, hoor, zo ben ik niet.'

'Misschien heb je gelijk, de tijd zal het leren.'

'Mensen houden hun streken, dat is mijn ervaring.'

'Ja, kijk maar naar Jannes!'

'Nou!'

Weer was het stil.

Ik was ongemerkt wat rechter op gaan zitten, het tijdschrift dat mij voor de buitenwereld af had zullen schermen in mijn schoot.

Wie was Jannes? Wat waren zijn streken?

Helaas, de luidspreker kondigde aan dat de trein weldra in Middelburg zou stoppen en de dametjes gingen prompt zenuwachtig hun bezittingen verzamelen. Aan het bespreken van Jannes' onvolkomenheden kwamen ze niet meer toe.

Wie was Jannes?

Wat waren zijn gebreken?

Ik hield mijn tijdschrift inmiddels weer netjes voor mijn gezicht, maar gluurde stiekem over het randje naar de mensen die in de trein gestapt waren en door het gangpad liepen, op zoek naar de allerbeste plek. Bij iedere man vroeg ik me af: zou dit Jannes kunnen zijn?

Een grote, stuurs uitziende man was misschien een Jannes met losse handen, die al jaren zijn vrouw mishandelde, ook al beloofde hij iedere keer weer beterschap.

Een man met een grote, bolle buik die de knopen van zijn groezelige overhemd danig op de proef stelde, was de Jannes met een drankprobleem, die zich bij ieder flesje bier voorhield dat dit echt het allerlaatste zou zijn.

Achter hem liep een aantrekkelijke, dertig jaar jonge Jannes, die ongetwijfeld kans had gezien zijn echtgenote met drie verschillende vrouwen te bedriegen, terwijl ze pas twee jaar getrouwd waren.

De jonge Jannes ging pal voor me zitten en pakte zijn telefoon.

'Hallo, met mij.'
'Nee, ik stap net in de trein.'
'Ja, uit Middelburg.'
'Hij gaat nu vertrekken, dus dat duurt nog wel even.'
'Oké, we bellen nog!'
'Ja, doei!'
In de korte stilte die volgde hoorde ik hem opnieuw een nummer intoetsen.
'Hallo, met mij,' klonk het weer.
De trein had zich inmiddels in beweging gezet.
'Ik zit in de trein.'
'Ja, hij rijdt net weg uit Middelburg.'
'Ja, dat duurt dus nog wel even.'
'Is goed, is goed. Ik bel je nog!'
'Doei!'

Het was bijna jammer dat hij na het tweede doei niet nóg een keer belde. Ik probeerde me een voorstelling te maken van diegene die aan de andere kant de telefoon had opgenomen. Hij had vast als eerste zijn vrouw gebeld, die vermoeid bezig was de door de kinderen gemaakte rommel op te ruimen en verlangde naar het moment dat hij thuis zou komen om de last van het jengelende kroost van haar over te nemen. Daarna had hij ongetwijfeld zijn minnares aan de lijn, bij wie hij op weg naar huis even aan zou wippen, voor wat haastige hartstocht. Dan zou hij doorgaan naar huis, hopend dat zijn vrouw hem na zijn drukke dag eerst even rust zou gunnen voordat ze de kinderen op hem losliet. Beide vrouwen zouden net niet datgene van hem krijgen waar ze naar verlangden. Jannes zelf trouwens ook niet. Maar ze hoopten alledrie, tegen beter weten in.

Dankzij de bejaarde dametjes en de telefoontjes van Jannes was ik me ongemerkt gaan ontspannen. Het deed me goed om onder de mensen te zijn, al bleef ik zelf volledig buiten beeld. De gewone verhalen van doorsnee levens waren na de bizarre gebeurtenissen van de afgelopen week een weldaad voor mijn gespannen geest.

Was het alleen vanwege het gewone ervan?

Was het niet óók omdat de gespreksflarden die ik opving aantoonden dat ik niet de enige was wier leven niet op rolletjes liep? Of waren de verhalen over de zoon en Jannes die beiden maar niet wilden deugen vooral een bevestiging van het besluit dat ik in Rotterdam genomen had, dat het geen zin had om Henry nog een kans te geven, ook al leek hij te veranderen?

Hoe het ook zij, tegen de tijd dat we Bergen op Zoom passeerden voelde ik me veel beter dan toen ik net was ingestapt. Het lukte me zelfs om een artikel over gezonde vetzuren redelijk aandachtig in me op te nemen.

Maar toen we Rotterdam naderden nam de spanning weer toe. Ik moest ook dringend plassen, maar was zo stom dat in de trein niet te doen. Daardoor stond ik met een volle blaas te wachten op de stoptrein naar Hoek van Holland, die tot overmaat van ramp een kwartier vertraging had. En ik durfde natuurlijk niet de stationshal in te gaan, om daar het toilet te bezoeken.

Het gespannen gevoel bleef, ook nadat ik nog voordat we goed en wel het station uitreden een opluchtend bezoek aan het twijfelachtige treintoilet had gebracht. Hoe vaak gebeurt het niet dat je op de meest vreemde plekken onverwacht bekenden tegenkomt? Het mooie weer kwam aan de ene kant goed uit, omdat het me een alibi verschafte om de zonnebril te dragen, maar aan de andere kant verhoogde het de kans dat ik bekenden uit Rotterdam zou treffen, die even naar het strand wilden gaan.

Ik had geluk, ik zag de hele reis niemand die ik kende.

Het meest enerverende moment vond plaats na de stop in Maassluis, waar een moeder met een jongetje van een jaar of vier instapte, die tegenover me kwamen zitten.

'Waarom heeft die mevrouw binnen een zonnebril op?' vroeg het kind aan zijn moeder.

Ik bleef in mijn tijdschrift turen, alsof ik niets gehoord had.

'Sst, Wesley,' zei de moeder. 'Kijk maar uit het raam of je een koetje ziet!'

'Maar mam, het is toch niet beleefd om binnen een zonnebril op te zetten? Dat zeg je altijd zelf!' vervolgde het manne-tje onverstoorbaar.

'Je moet niet over andere mensen praten, Wesley,' ant-woordde de moeder streng.

Na een korte pauze, waarin ze kennelijk had nagedacht over datgene wat ze gezegd had, specificeerde ze haar in-structies nader.

'In ieder geval mag je niet over mensen praten waar ze bij zijn.'

Het kwam vast gedeeltelijk door de spanning, denk ik, dat ik ongelofelijk om die stomme opmerking moest lachen. Tranen rolden over mijn wangen, ik zat gebogen over mijn tijdschrift te schokken en te snikken en kon niet meer op-houden.

'Wat doet die mevrouw?' vroeg Wesley aan zijn moeder.

'Sst, Wesley, stil. Kijk naar het mooie koetje, kijk!'

Het was allemaal zo voorspelbaar dat ik nog harder moest lachen.

'Mamma,' begon het mannetje.

'Kom, Wesley, we gaan ergens anders zitten!' zei de moe-der.

De afkeuring in haar stem was duidelijk niet alleen voor haar zoon bedoeld. Ze stond op en liep weg, het mannetje meesleurend het gangpad door, de coupé uit.

Het duurde nog minstens vijf minuten voordat ik bedaard was.

Bij Hoek van Holland Haven stapte ik uit en liep naar de cruiseterminal. Het was niet erg druk, ik was aan de vroege kant, de Stena HSS zou om vier uur vertrekken en het liep nu tegen drieën. Er stond bij de incheckbalie nog geen rij en ik aarzelde even maar haalde toen toch vast de kaartjes af. Ik had dat liever gedaan tegen de tijd dat er meer mensen stonden te dringen, om zo min mogelijk op te vallen, maar nu ik eenmaal binnen was, bestond er een risico dat iemand me op zou merken en zich later, als ik me bij de inmiddels drukke balie meldde, zou afvragen waarom ik niet eerder gegaan was. Ik betaalde de beide kaartjes met Henry's creditcard en plofte daarna op een terrasje neer, achter een grote plant. Inmiddels had ik behoorlijke honger want het was er weer eens bij ingeschoten om tussen de middag te eten, dus ik bestelde een broodje. Ik nam er expres de tijd voor om dat op te eten, ik wilde pas als het op zijn drukst was bij de incheckbalie verschijnen. Toen ik tussen het plastic groen van de plant door zag dat zich daar een aardige drom mensen had verzameld, stond ik op en voegde me bij hen.

De juffrouw achter de balie zag er verveeld en niet al te snugger uit. Ze had onwaarschijnlijk lange, klonterige wimpers, met daarboven een glimmende, lichtblauwe vlakte tot aan haar wenkbrauwen. Ze nam de tickets aan, om die na een plichtmatige blik op de getoonde paspoorten in te wisselen voor een boardingpass.

Ik had een heel verhaal voorbereid, dat mijn man buikloop had en daarom onverhoopt uit de rij weg had moeten lopen, in de hoop dat men mij in de drukte dan zonder bezwaren voor twee personen in zou laten checken, maar het was helemaal niet nodig. Zonder me aan te kijken nam ze de tickets van me aan en gaf me in ruil daarvoor zowel voor mijzelf als voor mijn dode man een boardingpass.

Innerlijk juichend haastte ik me naar de tourniquets. Toen ik die eenmaal gepasseerd was, bleek er nog een paspoortcontrole plaats te vinden. Gelukkig stond er een rij, zodat ik het paspoort van Henry, dat ik nog steeds samen met het mijne in mijn handen hield, weg kon moffelen in een vakje van de rugzak.

Ik heb een onopvallend, doorsnee gezicht, dat op de een of andere manier betrouwbaar overkomt, want ik word nooit gecontroleerd. In alle landen waar Henry en ik zijn geweest, op alle vliegvelden waar we geland zijn, heeft niemand het ooit nodig gevonden mij aan meer dan de alleroppervlakkigste controle te onderwerpen. Ik had me over dit moment dan ook tot nu toe geen zorgen gemaakt, maar nu het eenmaal zover was ging mijn hart toch afschuwelijk tekeer.

De douanier in wiens rij ik stond zag er al niet veel geanimeerder uit dan de jongedame met de blauwe oogleden. Hij wuifde een hele rij mensen door, maar van de man die direct vóór me in de rij stond maakte hij opeens werk. Hij pakte het opgehouden paspoort af, bladerde erin en begon vervolgens driftig op een voor mij onzichtbaar toetsenbord te typen. Daarna tuurde hij naar een beeldscherm, waar kennelijk informatie op verscheen, om daarop weer wat in te toetsen.

Mijn hart vloog uit de bocht.

De man wiens paspoort aan een grondig onderzoek werd onderworpen zag er niet opvallender uit dan ik, het was een keurige, blanke man in een pak, met een net, zakelijk koffertje aan zijn hand en inmiddels een vagelijk verontruste blik op zijn gezicht.

'U kunt doorlopen,' zei de douanier uiteindelijk, terwijl hij het paspoort teruggaf.

Nu was ik aan de beurt.

Ik hield mijn paspoort omhoog.

Het trilde in mijn hand.

De douanier keek ernaar. En wuifde me door.

Ziek van spanning en opluchting liep ik door, de loopbrug op, naar de boot. Ik wilde zo snel mogelijk weer naar buiten en zocht naar een dek, maar dat was nergens te vinden. Pas toen ik zo ver was doorgelopen dat ik niet meer verder kon, ontdekte ik een heel klein, overdekt stukje waar je buiten kon staan. Als een zeezieke klampte ik me vast aan de reling, terwijl de boot zich stampend in beweging zette.

Stel dat de douanier mijn gegevens in de computer had ingevoerd?

Er zou geen onmiddellijke ramp gebeurd zijn, hij had me heus wel doorgelaten.

Maar hoe lang zou datgene wat hij ingevoerd had in het computersysteem terug te vinden zijn?

Als iemand op een gegeven moment Henry's verdwijning zou gaan onderzoeken, het keurige spoor naar Hoek van Holland volgt, om dan te ontdekken dat ík daar de douane gepasseerd ben, zijn de conclusies snel getrokken!

Het ergste was dat ik nog terug moest. Ik moest nóg een keer door de douane.

Wat als ik dan strenger gecontroleerd werd? Gewoon omdat ik toevallig net aan de beurt was op een moment dat de douanier, na een heleboel mensen te hebben doorgewuifd, vond dat het tijd werd om weer even te doen alsof hij zijn werk serieus nam? Ik kon mezelf wel wat aandoen dat ik deze expeditie überhaupt gemaakt had. De tocht naar Harwich was gevaarlijker dan de hele nachtelijke expeditie naar het Zwin, ook al had ik toen een lijk bij me. Ik had het te mooi willen doen, terwijl het veel verstandiger was geweest alles zo simpel mogelijk te houden. Maar het was nu te laat, ik kon niet meer van de boot af.

Mijn oorspronkelijke plan was om in de terminal in Harwich een flinke som geld op te nemen, zowel met de creditcard als met Henry's pinpas, waarna ik zo snel mogelijk weer terug zou gaan. Volgens de dienstregeling zouden we om tien voor zeven aankomen. De boot zou een half uur later weer terugvaren naar de Hoek, maar dat zou ik waarschijnlijk niet redden. Ik had daar tot nu toe geen probleem in gezien, ik was van plan een nacht in een hotel door te brengen en 's ochtends de eerste boot terug te nemen. Ik wilde een groot, anoniem hotel zoeken en daar met Henry's paspoort inchecken, met een smoes dat hij er zo aankwam en dat ik per ongeluk zijn paspoort bij me had in plaats van het mijne. Zo zou het spoor dat Henry bij zijn verdwijning had achtergelaten nog weer een stukje verder doorlopen.

Maar wat als dat niet lukte? Wat moest ik doen als ze er bij het hotel op stonden mijn eigen paspoortnummer óók te noteren? Dan zou ik me met een smoes uit de voeten moeten maken, in het ergste geval zou ik de nacht op straat door moeten brengen. In een stad die ik helemaal niet kende, waar ik volstrekt niet op mocht vallen, zou ik een nacht rond moeten dolen in mijn zomerjas.

Ik raakte in paniek. Het zweet brak me uit en het broodje dat ik daarnet in de terminal nog zo tevreden op had zitten te eten, ontplofte in mijn maag. Met een enorme boog vloog het uit mijn mond, om ergens beneden in het water van de Noordzee te verdwijnen. Er kwam daarna nog een golf en nog een, totdat ik stond te kokhalzen zonder dat er nog iets naar buiten kwam. Ik was leeg.

Ik haalde een zakdoekje uit mijn broekzak en veegde het zweet van mijn voorhoofd, het slijm van mijn mond.

'Kan ik iets voor u doen?'

Verschrikt keek ik op. Vriendelijke, blauwe ogen keken me vanuit een gerimpeld gezicht aan.

'Kennelijk heeft u geen zeebenen, maar dat geeft niet hoor, dat overkomt de besten. Hier, neem een pepermuntje, tegen de vieze smaak.'

Een magere, bleke hand hield een rolletje King klaar, waar

het papier keurig vanaf gehaald was, zodat het bovenste pepermuntje zich gemakkelijk liet pakken.

'Dank u,' stamelde ik en ik probeerde erbij te glimlachen.

Het lukte niet. Toen ik in haar ogen keek, het snoepje op mijn tong, ging er een nieuwe golf door me heen. Een golf van verdriet en verlangen, zo sterk dat ik hem niet kon bevatten. Ik registreerde nog net de verbaasde uitdrukking van het oude dametje, een reactie op datgene wat ze op mijn gezicht zag, voordat ik begon te huilen.

'Kom, kom,' prevelde ze en legde een troostende hand op mijn mouw. 'Zo erg zal het toch niet zijn?'

Nee, ik heb mijn man vermoord en ben nu bezig ervoor te zorgen dat ik de komende tien, twintig jaar ergens achter tralies beland, maar het valt wel mee, er zijn ergere dingen, wilde ik zeggen.

Maar ik zei helemaal niets, ik kon niets zeggen, ik huilde alleen.

Het dametje zei ook niets meer, ze klopte alleen af en toe op mijn mouw, alsof ze me wilde laten weten dat ze er nog steeds was.

Het voelde vreemd genoeg heel vertrouwd, die hand op mijn arm, haar aanwezigheid naast me. Dat maakte me nog verdrietiger, al begreep ik eerst niet goed waarom. Maar het was een rustiger soort verdriet en langzamerhand hield het huilen op.

'Sorry, hoor,' zei ik en keek haar aan.

En toen begreep ik dat nieuwe, verdrietige gevoel opeens.

Ze was precies mijn moeder. Niet uiterlijk, haar ogen hadden een andere kleur, haar gezicht was compleet anders, maar toch was het net alsof mijn moeder naast me stond. Ze had iets kalms, zoals ze gewoon bij me bleef, zonder iets te vragen, zonder te oordelen over mijn vreemde gedrag. Zo was mijn moeder ook.

'Wil je erover praten?' vroeg ze.

'Ik zou wel willen. Ik zou zo graag willen...'

Ik glimlachte naar haar en zij glimlachte terug, alsof ze al wist wat ik ging zeggen.

'...maar het kan niet. Het kan gewoon niet.'

'Nou, laten we dan samen een lekker kopje thee gaan drinken!'

Dat hebben we gedaan, thee in een wit Stena Line-kopje op een bijpassend schoteltje.

Ze vertelde me dat ze Tilly heette, of eigenlijk Mathilde, maar dat was te lang en te deftig voor haar. Ze was op weg naar haar zuster die in Londen woonde; die had daar als verpleegster gewerkt en was er na haar pensionering gebleven. Tilly zocht haar ieder jaar op.

'Mijn man mag dan niet mee,' zei ze met een ondeugende twinkeling in haar ogen, 'en weet u, dat is misschien nog wel het leukste van de hele reis. Niet verder vertellen hoor!'

Ze legde samenzweerderig haar hand op de mijne.

'Het is heus een hele brave man, we hebben het goed samen. Maar toch is het af en toe zo heerlijk om even alleen te zijn!'

'Ik weet precies wat u bedoelt!' zei ik, maar dat was een leugen.

Tilly praatte nog een hele tijd verder, over eerdere reizen naar Londen, mensen die ze op de boot ontmoet had. Ze vroeg hoegenaamd niets aan mij, maar dat voelde goed. Het was anders dan het achteloze niet-vragen dat ik zo goed kende van de borrels en partijen die we vanwege Henry's werk moesten bezoeken, waar mensen het gevoel leken te hebben dat een onbeduidende huisvrouw als ik onmogelijk iets interessants te melden kon hebben.

Tilly straalde iets heel anders uit. Zij vroeg niets omdat ze aanvoelde dat ik om de een of andere reden niets kon vertellen. En juist dat maakte dat ik de neiging had om haar te vertrouwen. Tot op zekere hoogte.

'Tilly, mag ik je iets vragen?'

'Mmmm.'

Ze nipte aan haar thee, waar ze een Engels wolkje melk in had gedaan.

'Ik heb een fout gemaakt door op deze boot te stappen. Ik moet zo snel mogelijk terug, het liefst zonder voet op Engelse bodem te zetten...'

Zij kende deze boot van haver tot gort, ze was er al zo vaak mee overgestoken. Zij was de perfecte persoon om me te helpen een plekje te vinden waar ik me kon verstoppen, zodat ik niet aan wal hoefde te gaan en daardoor een volgende paspoortcontrole met alle risico's van dien zou kunnen vermijden. Ze zou me vast willen helpen, zonder vragen te stellen. Ze was lief, ze was zorgzaam. En ook al leek ze een gezapig oud dametje, ze had iets avontuurlijks in zich, anders zou ze die eenzame reizen niet zo koesteren. Tilly zou het vast spannend vinden om betrokken te worden in mijn geheimzinnige plan.

Ze knikte met een blik alsof ze een dergelijk probleem al veel vaker bij de hand gehad had en ik wist dat ik haar goed had ingeschat.

Nou ja, niet helemaal, want ze stelde toch wel een vraag.

'Staat hij je daar op te wachten?'

Staat hij me daar op te wachten? Wie? Waar doelde ze op?

'Ja...' zei ik aarzelend, met een vaag gevoel van spijt omdat ik ook haar nu bedroog. Maar het was het simpelste, het veiligste om mee te gaan in haar script.

'Kindje,' zei ze en schudde haar hoofd.

'Hoe weet je...?' vroeg ik.
Ze keek me aan.
'Je hebt zoiets bedrukts over je, alsof je op een verschrikkelijke manier knel zit. Ik heb dat vaker gezien, bij vrouwen die op de een of andere manier verstrikt waren geraakt in een relatie met een man die hen slecht behandelde...'
Ze pakte mijn hand vast.
'Blijf inderdaad op de boot, die vaart vrijwel meteen weer terug. Ga niet naar hem toe, ga terug.'
'Weet jij hoe ik dat kan doen?'
Ze keek op haar horloge.
'Kom,' zei ze, 'er is niet veel tijd meer.'

Ze loodste me naar het kleine dek aan de achterkant van de boot, waar we elkaar ontmoet hadden. Het was verlaten, net zoals het eerder geweest was.
'Dit is volgens mij de beste plek,' zei ze, 'ze maken niet echt schoon, daarvoor is de tijd tussen aankomst en vertrek te kort. Maar je hebt kans dat ze wel even vluchtig de toiletten doen, dus daar kun je beter niet gaan zitten. Hier komt volgens mij niemand. Als je voor de zekerheid achter de deur gaat staan, hier, ben je ook niet meteen zichtbaar als er onverhoopt toch iemand een blik op het dek komt werpen.'
Ze keek me tevreden aan.
'Zodra de nieuwe passagiers de boot op beginnen te lopen, ben je veilig, want als ze je dan zien denken ze dat je gewoon iemand bent die een rustig plekje op heeft gezocht...'
'Precies zoals ik op de heenreis gedaan heb!' zei ik.
Tilly knikte.
'Je moet ook rekenen,' zei ze, haar hand weer geruststellend op mijn mouw, 'dat geen mens zich bezighoudt met de mogelijkheid dat er iemand op de boot achter zou kunnen blijven. Waarom zou iemand dat willen doen?'
Ze glimlachte samenzweerderig naar me. Ik glimlachte opgelucht terug. Het was allemaal opeens weer zo simpel en overzichtelijk.

'Bedankt, Tilly, je bent een engel!'

Terwijl ik het zei kondigde een zalvende stem in verschillende talen onze aankomst in Harwich aan.

'Dag meisje,' zei ze.

Ik stak mijn hand naar haar uit maar ze sloeg resoluut haar armen om me heen en drukte me tegen haar smalle borst.

'Pas goed op jezelf,' fluisterde ze.

Ik knikte, mijn gezicht in haar grijsblauwe krullen.

'En als je tot rust gekomen bent, probeer dan te pakken te krijgen wat het is dat jij doet, dat maakt dat hij je zo in zijn macht heeft gekregen... Want er zitten altijd twee kanten aan, begrijp je wat ik bedoel? Hij doet het niet alleen...'

Weer knikte ik in de krullen, tranen prikten in mijn ogen.

'Dankjewel...' zei ik weer.

En toen was ze weg. Ik ging staan op de plek die ze me had gewezen en wachtte tot het veilig zou zijn om naar binnen te gaan. Pas na een minuut of tien bedacht ik dat ik voor de terugreis andere kleren had meegenomen. Ik haalde een sportief zomerjack uit het rugzakje en stopte er de zomerhoed die ik tot mijn ontsteltenis nog steeds op had in. De staart in mijn haar maakte ik los en ik bond een fletse sjaal om mijn hoofd.

Inmiddels was het over zevenen, over een kwartier zou het schip afvaren, als alles volgens schema verliep. Ik was veilig. Toch bleef ik nog op het dek, totdat ik de motor van de boot weer hoorde. Pas toen ben ik naar een bar gelopen, waar ik een stevige borrel heb besteld.

Terwijl ik die met de snelheid van een ervaren drinker achteroversloeg, viel mijn oog op een poster waarin de 'videolounge' werd geadverteerd. Met een immens gevoel van dankbaarheid zocht ik de informatiebalie op, kocht een kaartje en nestelde me in het veilige donker.

Ik was nog lang niet veilig, bleek later.

De bootreis verliep prima. De film – waarvan ik me niet één scène kan herinneren – nam met het voorprogramma erbij bijna twee uur in beslag. Daarna heb ik nog een tosti gegeten en wat in een hoek zitten bladeren in een van de tijdschriften die ik in Vlissingen gekocht had. En toen was de tocht alweer voorbij. In een drom van passagiers ging ik van boord. Een aantal mensen werd door vrienden of familie opgewacht, anderen begaven zich naar geparkeerde auto's. Het kleine clubje dat overbleef liep naar het station.

Terwijl ik vanaf het perron langs de rails keek, in de richting waar de trein vandaan zou komen, realiseerde ik me opeens dat ik niet wist hoe laat de laatste veerboot van Vlissingen naar Breskens zou varen. Dat was het zoveelste bewijs dat dit onderdeel van mijn plan, dit klapstuk, net een brug te ver was geweest. Ik had het niet goed doordacht, niet goed voorbereid. Maar, troostte ik mezelf, zelfs als er geen boot meer ging tegen de tijd dat ik in Vlissingen aankwam, was er niets aan de hand. Waarschijnlijk stond er een rij taxi's te wachten op iedere trein die op het station arriveerde nadat de veerboot er de brui aan had gegeven. Als ik me dan bij een hotel in de buurt af liet zetten, in plaats van bij het huisje, was er geen vuiltje aan de lucht.

De trein kwam en een half uur later stapte ik uit op het station van Rotterdam. Ik liep naar de gele borden om te kijken hoe laat de trein naar Vlissingen zou gaan.

Die ging pas tegen half zes.

Daar stond ik dan, op Rotterdam Centraal Station, om een uur 's nachts, met het vooruitzicht ruim vier uur te moeten wachten op de eerstvolgende trein. Waarschijnlijk kon ik er niet eens blijven, er stond me bij dat er in verband met overlast van daklozen intensief werd gecontroleerd. Waar moest ik heen?

Even speelde ik met de gedachte om een taxi naar huis te nemen, om mezelf daar stiekem naar binnen te laten, een warm bad te nemen en dan in de logeerkamer te gaan slapen. Het was een ontzettend aantrekkelijke gedachte, maar ik durfde het niet. Stel je voor dat iemand me zag? Stel je voor dat er iemand die ik kende zijn hond uitliet op het moment dat ik uit de taxi stapte? Of dat Carolina de auto zou horen stoppen en uit het raam zou kijken? En zelfs al zou ik vanavond ongezien binnen kunnen komen, hoe kwam ik dan vervolgens weer ongezien weg?

Ik liep vertwijfeld door de tunnel die me onder de sporen door naar de centrale hal bracht, toen mijn oog viel op een bord waarop de nachttrein richting Amsterdam werd aangekondigd.

Dat was de oplossing.

Ik haastte me naar de hal en kocht daar een kaartje. Het loket was gesloten, maar gelukkig had ik genoeg geld op mijn chipknip staan om daarmee af te kunnen rekenen bij de kaartjesautomaat, zodat ik geen pintransactie hoefde te doen. Ik moest nog bijna een uur wachten op het vertrek van de trein, maar met mijn kaartje als alibi kon ik op het station blijven. Ik koos ervoor om op het perron te wachten, hoewel dat unheimisch leeg was waardoor ik me niet helemaal prettig voelde in het glazen wachthokje. Ik had geen keus, wachten in de stationshal vond ik onverantwoord, in verband met de kans om bekenden tegen te komen.

Eindelijk, uren later, waren de zestig minuten voorbij en kon ik instappen. In de vrijwel verlaten trein vouwde ik een van mijn tijdschriften open op de bank tegenover me, om daar mijn vermoeide voeten op te leggen. Ik deed mijn ogen dicht, niet om te slapen maar om de indruk te wekken dat ik sliep, wat me voor een reiziger in een nachttrein de meest voor de hand liggende bezigheid leek.

De trein begon te rijden.

Bij Den Haag Hollands Spoor werd ik met een schok wakker. Ik had gedroomd, iets angstigs, iets benauwends, maar kon me niet herinneren wat. Ik haalde mijn voeten van de bank en ging rechtop zitten, om te voorkomen dat ik weer in slaap zou vallen.

De deuren van de verlaten coupé gingen open. Drie jongens kwamen met veel kabaal binnen, bierblikjes in hun handen.

'Hier maar?'

Een van de jongens gebaarde met zijn blikje naar de plaatsen aan de overkant van het gangpad.

'Gezellig!' zei een andere jongen.

Hij keerde zich naar mij toe, boog over me heen tot zijn gezicht op nauwelijks twintig centimeter van het mijne was.

'Vindt u niet mevrouw?'

Het zweet brak me aan alle kanten uit.

Wat moest ik doen?

Wat moest ik zeggen?

'Ik heb er geen problemen mee als u hier plaatsneemt...'

De tekst was wel oké, maar de toon was helemaal fout. Mijn stem klonk hoog, afgeknepen, benauwd.

'Horen jullie dat, jongens? Mevrouw heeft er geen problemen mee als we hier *plaatsnemen*. Laten we dat dan maar doen, laten we *plaatsnemen*!'

Hij was weer rechtop gaan staan en maakte met zijn arm een overdreven zwaaiende beweging iedere keer als hij het woord plaatsnemen uitsprak.

Even later was zijn gezicht weer vlakbij.

'Misschien vindt u het wel gezellig als we hier *plaatsnemen*...'

Hij wees naar de plaatsen tegenover me.

'...of hier!'

Nu klopte hij op de lege plek naast me. Hij pakte mijn rugzakje op en legde het keurig in het bagagerek. Vervolgens liet hij zich naast me op de bank vallen.

'Kom jongens!' riep hij naar zijn vrienden, maar die hadden zich inmiddels aan de andere kant van het gangpad geïnstalleerd en leken niet van plan om zich nog te verplaatsen.

Hij keek me aan en haalde zijn schouders op.

'It's just you and me, babe,' zei hij tevreden.

Hij legde zijn hand op mijn dij en nam een slok uit zijn bierblikje. Vervolgens hield hij het voor mijn gezicht.

'Ook een beetje?'

Ik schudde mijn hoofd.

'Je blijft liever nuchter, goed zo!'

Hij boog zich over me heen om het blikje op het tafeltje te zetten. Vervolgens legde hij zijn vrijgekomen hand achter mijn hoofd en trok me naar zich toe. Ik zag grote poriën op zijn neus, stoppels op zijn kin, witgele prut in de hoek van zijn linkeroog.

'NEE!' gilde ik en probeerde hem van me af te duwen, wat niet lukte. 'NEE!'

Hij lachte, terwijl hij me nu met twee handen tegen de bank drukte.

'Kijk eens jongens, ze is al een dagje ouder, maar er zit wel pit in!'

'Nondeju, Kevin,' zei een van de andere jongens, 'laat die kankerhoer toch met rust, daar komt alleen maar gedonder van.'

'Zou je denken?' vroeg de jongen die kennelijk Kevin heette.

Hij keek me aan en lachte. Zijn mond stond een beetje open, zijn tong glinsterde vochtig. Hij lachte weer en liet toen een harde boer, midden in mijn gezicht.

'Oké, jij je zin,' zei hij toen.

Hij liet me los en ging zonder me nog een blik waardig te gunnen bij zijn vrienden zitten.

Voor de tweede keer in vierentwintig uur tijd begon ik te huilen.

'Hou je toch stil, wijf!' klonk het van de andere kant van het gangpad, maar ik kon het niet.

Ik huilde en huilde, ook toen de jongens al lang uitgestapt waren en de trein door het donkere land verder reed.

Ik zat nog steeds te snikken toen Schiphol werd aangekondigd.

Het was alsof iemand zei dat de volgende stop in het beloofde land zou zijn.

Dat ik daar niet aan gedacht had! Het vliegveld was de ideale plek om de nacht onopvallend door te brengen!

Ik veegde met mijn mouw mijn wangen droog, pakte het rugzakje uit het bagagerek en liep naar de deur.

Even later stond ik in de stationshal naar de gele borden te kijken. Om kwart over zeven zou er volgens de dienstregeling een trein rechtstreeks naar Vlissingen vertrekken!

Ik ben vervolgens naar het toilet gegaan, waar ik mezelf grondig heb gewassen, voorzover dat daar mogelijk was. Ik heb zelfs mijn hoofd onder de kraan gestoken, mijn haren gewassen met vloeibare zeep en ze vervolgens gedroogd met de omhooggedraaide handenföhn. Het leverde een redelijk bizar kapsel op, maar dat kon me niet schelen. De sjaal, die ik nog om mijn hoofd had gedragen toen Kevin me vastpakte, gooide ik weg. Ik aarzelde even en gooide toen ook het jack weg. Ik haalde mijn andere jas uit het rugzakje, trok die weer aan, en ging op zoek naar een plek om te zitten.

Ik heb vier uur zitten knikkebollen, boven kopjes koffie en broodjes. Ik wilde koste wat het kost wakker blijven, aan de ene kant omdat ik zo min mogelijk op wilde vallen, aan de andere kant omdat ik die eerste trein naar Vlissingen niet wilde missen. Hoe eerder ik terugging, hoe kleiner de kans dat ik bekenden zou treffen en bovendien verlangde ik ongelofelijk naar het huisje, naar mijn bed.

Vraag me niet hoe, maar het lukte me om niet in slaap te vallen.

Om zeven uur kocht ik een enkele reis Vlissingen. De trein die zonder vertraging het station binnenreed, was leeg genoeg om comfortabel te zijn, maar niet zo leeg dat ik er bang door werd. Ik ging zitten in de buurt van een zakenvrouw die op een laptop zat te werken en viel vrijwel onmiddellijk in slaap.

De laatste weken in het leven van mijn moeder kwam er dagelijks iemand van de thuiszorg over de vloer. Eerst waren het steeds verschillende, meestal jonge meisjes. Maar nadat mijn vader tegen een van hen verschrikkelijk was uitgevallen, zo erg dat het kind huilend was weggelopen, stuurden ze een oudere, ervaren kracht. Nel was denk ik in de vijftig, met een stevig postuur en heldere, blauwe ogen. Zodra ze binnen was, begon mijn vader haar orders te geven. Nel ging tegenover hem staan, haar handen in haar zij, hoofd een beetje schuin.

'Was dat het?' vroeg ze, toen mijn vader uitgesproken was.

Hij knikte.

'Dan ga ik nu wat zeggen.'

Haar toon was vriendelijk, maar beslist.

'Ik ben hier niet voor u, maar voor uw vrouw. Samen met haar ga ik bekijken wat er moet gebeuren. Als u suggesties heeft, zijn die welkom, ik zal ze zeker in overweging nemen. Maar de uiteindelijke beslissing over wat er wel of niet gedaan wordt ligt niet bij u. Ben ik duidelijk?'

Mijn vader keek haar ziedend aan, maar zij vertrok geen spier.

'Vrouwen!' zei mijn vader toen en hij draaide zich om en liep naar de schuur, waar hij aan het klussen was.

'Mannen!' zei Nel, hard genoeg om door hem gehoord te worden.

Ze zei het met een glimlach in haar stem.
Mijn vader hield even zijn pas in.
Ik hield mijn adem in, maar hij deed niets.
Mijn vader liep hoofdschuddend door en liet zich de rest van de ochtend niet meer zien.

'Nel is een wonder,' zei mijn moeder later die week tegen me.
Ze lag in haar bed in de huiskamer, dat Nel net met schone lakens had opgemaakt.
'Zie je hoe je vader op haar reageert? Zij laat niet met zich sollen en daardoor luistert hij naar haar.'
Ze tilde haar hoofd een stukje op uit de kussens, om me aan te kunnen kijken.
'Ga toch liggen, mam, ga lekker liggen,' zei ik, want ik wist dat ze veel pijn had.
'Kom even hier zitten, lieverd, ik wil je goed zien,' antwoordde ze en ze klopte met haar hand op het bed.
Ik ging op de rand van het bed zitten, pakte haar gerimpelde handen vast en glimlachte naar haar. Ze keek me aan.
'Kindje, nu ik meemaak hoe Nel tegen je vader doet en wat voor een effect dat op hem heeft... nu realiseer ik me opeens hoezeer ik tekort ben geschoten. Voor hem en daarmee ook voor jou...'
'Sst...' fluisterde ik, want ze praatte als iemand wiens leven voorbij is en dat was niet de bedoeling.
'Sst, mam, je schiet helemaal niet tekort, echt niet. Ik kan me geen betere moeder wensen...'
'Ach, m'n meisje, dat is niet wat ik bedoel. Het gaat om je vader en ik, wat wij je samen voorgeleefd hebben. Nu ik Nel bezig zie, realiseer ik me dat ik al die jaren verkeerd op hem heb gereageerd. Ik heb het hem altijd zo veel mogelijk naar de zin willen maken, ik dacht dat hij me beter zou behandelen als ik goed mijn best deed in huis, zorgde dat hij niets te-

kortkwam. Daar ben ik alsmaar mee doorgegaan terwijl het helemaal niet werkte...'

Ik zag aan haar ogen dat ze moe was, dat het praten haar uitputte. Ze ademde snel en haar wangen hadden een akelige, felrode kleur.

'Begrijp je wat ik bedoel, lieverd?' vroeg ze.

Ik knikte, om haar gerust te stellen, om te zorgen dat ze stil zou worden, zodat ze kon slapen en weer op kracht zou kunnen komen.

'Ik was net een angstig dier, Linde, een dier dat zich verliest in de koplampen van een auto en niet in de gaten heeft dat het alleen maar opzij hoeft te stappen, om het gevaar te ontwijken...'

Haar ogen keken me aan met een koortsachtige intensiteit. Ik knikte weer en kneep in haar magere hand om haar te overtuigen dat het goed was, dat ik haar heus wel begreep, dat ze kon gaan slapen.

'Lieve Linde, als jij dit begrijpt, als ik zou weten dat jij nooit zo verlamd zal raken als ik een leven lang geweest ben, dan kan ik met een gerust hart sterven.'

'Jij gaat nog helemaal niet sterven, mamma,' antwoordde ik zacht.

Maar haar ogen waren al dicht. Ze sliep. Althans, dat dacht ik. Toen ik mijn hand losmaakte en opstond, gingen haar ogen opeens weer open.

'Weet je,' zei ze zacht, 'als je het begrijpt, hoef je misschien ook niet meer zo boos te zijn op je vader...'

Iemand schudde aan mijn arm. Even dacht ik dat het mijn vader was, of Nel misschien.

Maar het was een conductrice, die me van onder haar donkerblauwe pet aankeek.

'Mevrouw, we zijn in Vlissingen, dit is het eindpunt.'

Ik ging rechtop zitten en trok aan mijn bloes, die helemaal scheef zat.

'Neemt u mij niet kwalijk, ik ben kennelijk even in slaap gevallen. Dank u, ik ga al...' prevelde ik.

Ik ben naar het vertrekpunt van de veerboot gelopen en kon gelukkig meteen overvaren. Dodelijk vermoeid ben ik te voet naar het huisje gegaan, waar ik een hete douche nam en vervolgens in bed kroop, in de vaste overtuiging dat ik onmiddellijk in een diepe, heilzame slaap zou vallen. Maar ik kon niet slapen, of ik durfde niet te slapen, ik weet het niet. Pas rond een uur of elf ben ik ingedommeld, om vervolgens rond één uur door het rinkelen van de telefoon gewekt te worden. Het was Carolina, die schat belde me zodra ze thuiskwam van haar vrijwilligerswerk, om te horen hoe het met me ging.

*

Vrijdag 28 juni

Vandaag was een nare, stille dag. Ik hoefde niets bijzonders te doen, het enige wat er nog moest gebeuren, het dumpen van de kleren en de andere zooi, kon pas als ik weer met de auto durfde te rijden, over een dag of wat.

Er hoefde niets en er kon óók niet zo veel. Geen lange strandwandelingen, geen bezoek aan een terrasje, niks. Ik moest gespannen zitten wachten op de terugkeer van de man die ik twee dagen geleden had begraven.

Gebeurtenissen van gisteren spookten door mijn hoofd, de spanning tijdens het wachten bij de douane, de vertwijfeling op het dek toen de boot vertrok, de afschuwelijke rit in de nachttrein naar Amsterdam. Ik deed mijn best om de goede momenten terug te halen, zoals de ontmoeting met Tilly, of de droom waarin ik even bij mijn moeder geweest was, maar de nare herinneringen bleven zich opdringen, ze spoelden over de goede heen, wasten ze weg.

Halverwege de dag heb ik Carolina weer gebeld. Ik maakte mezelf wijs dat ik belde omdat het bij mijn rol paste, maar eigenlijk belde ik vooral omdat ik het prettig vond met iemand te kunnen praten.

Het gesprek met haar was niet wat ik ervan verwachtte. Ze was lief en bezorgd, daar lag het niet aan. Maar ik moest voortdurend tegen haar liegen en daardoor voelde ik me tijdens het gesprek zo mogelijk nog eenzamer dan daarvoor.

Omdat lezen niet lukte heb ik de televisie aangezet en ben daar een tijd voor gaan hangen. Ik heb eerst naar een aflevering van *Columbo* gekeken en daarna naar een talkshow van een kale Amerikaanse psycholoog en toen die afgelopen was heb ik voor het eerst in mijn leven naar soaps gekeken. Ik vrees dat ik daar een gewoonte van zal moeten maken, wil ik de komende week doorkomen.

Aan het begin van de avond voelde ik me zo eenzaam dat ik Carolina weer heb gebeld. Dit keer nam Ben op. Omdat ik het een beetje vreemd vond om naar Carolina te vragen, heb ik aan hem gevraagd of Henry misschien thuisgekomen was.

'Nee, Linde, hier is geen teken van leven te bekennen,' zei hij.

Zijn stem klonk een beetje vreemd, bijna alsof hij probeerde een boodschap over te brengen die verder ging dan de woorden die hij sprak.

*

Zaterdag 29 juni

Vannacht is er zoiets vreemds gebeurd. Ik heb over Ben gedroomd. Ik droomde dat hij hier was, in het vakantiehuisje. We zaten samen bij een brandend haardvuur, genietend van een lekker glas wijn. We praatten, over een lange wandeling die we over het strand gemaakt hadden, over onze gevoelens en dromen. Hij was belangstellend en warm, precies zoals ik hem ken. Later gingen we samen naar bed, waar hij dicht tegen me aan kroop.

Toen ik wakker werd bleef de sfeer van de droom om me heen hangen, het was net alsof niet Henry, maar Ben uit dit huisje verdwenen was. Ik miste zijn aanwezigheid, zo intens had ik de droom beleefd. De soaps en talkshows waar ik me mee probeerde te vermaken konden de leegte niet vullen.

Carolina durfde ik niet te bellen vandaag, op de een of andere manier was ik bang dat ze aan mijn stem zou horen dat ik in mijn dromen haar man afgepakt had.

*

Zondag 30 juni

Vannacht heb ik weer gedroomd, zo mogelijk nog verwarrender dan gisteren.

Toen ik naar bed ging hoopte ik half dat ik van Ben zou dromen, maar dat gebeurde niet.

Ik droomde over Henry.

Ik droomde over de tijd dat we elkaar net hadden leren kennen, toen mijn vader nog leefde. We hebben toen op een zaterdag een lange strandwandeling gemaakt, bij Hoek van Holland, nota bene. Tijdens die wandeling heb ik hem verteld over mijn vader, over de terreur die mijn moeder dagelijks had ondergaan, over de manier waarop hij haar voortdurend schoffeerde. Op een gegeven moment moest ik huilen en hij pakte me vast en drukte me tegen zich aan. Hij hield me vast en streelde mijn haar, zonder iets te zeggen.

Ik hield zo van hem, toen. Ik dacht dat het tussen ons altijd zo goed zou blijven als het op dat moment was.

*

Maandag 1 juli

Vanochtend rond elven, toen ik in Breskens was om wat boodschappen te halen, ging opeens mijn mobiele telefoon. Ik schrok me lam, want op de display herkende ik het nummer van Carolina. Het eerste wat er door me heen ging, was dat de politie aan de deur was gekomen om me op te pakken, omdat ze Henry gevonden hadden.

'Carolina, wat is er?'

'Er is hier niets, Linde. Henry is niet thuisgekomen. Ik bel omdat ik hoop dat hij misschien ondertussen weer bij je terug is gekomen?'

'Nee,' zei ik.

Mijn opluchting was zo groot dat het in mijn stem te horen was. Snel ging ik op bedrukte toon verder.

'Hier is hij ook niet. Ik weet niet wat ik moet doen...'

'Kom toch terug naar huis, Linde...'

Ik aarzelde geen moment, al deed ik mijn best om mijn stem vertwijfeld te laten klinken.

'Ja, misschien is dat toch het beste...'

We spraken af dat ik vandaag nog zou vertrekken, ik zou haar bellen op het moment dat ik alles ingepakt had en startklaar was, zodat zij zou weten hoe laat ze me kon verwachten.

Opgelucht ben ik aan de slag gegaan. Halverwege het inpakken realiseerde ik me dat ik de tassen met kleren nog moest zien te dumpen. Dat kon onderweg mooi, bijvoorbeeld in Goes, die plaats was groot genoeg om niet op te vallen, en het was ver van Breskens, ver van Rotterdam.

Ik leverde de sleutel af bij de huiseigenaar, tegen wie ik zei dat mijn man niet lekker was en dat we daarom naar huis teruggingen. Het leek me geloofwaardig dat ik tegen deze man zou liegen, dat ik hem mijn beschamende relaas niet zou willen vertellen.

Vervolgens liep ik terug naar de auto, die op de oprit voor de garage van het huisje stond, stapte in en reed weg. Bij Terneuzen nam ik de Westerscheldetunnel en na een minuut of veertig was ik in Goes. Ik reed rond tot ik een groot winkelcentrum had gevonden en parkeerde daar de auto. Te voet ging ik vervolgens op zoek naar een container voor gebruikte kleding. Die stond er inderdaad, alleen helemaal aan het andere eind van de parkeerplaats, waardoor ik een roteind heen en weer moest lopen. Het waren in totaal vijf vuilniszakken – Henry's volledige vakantiegarderobe en de extra kleren die hij zogenaamd voor zijn vlucht had ingepakt en dan ook nog de kleren die ik tijdens het transport naar België aan had gehad. Henry's koffer wilde ik ergens in een woonwijk dumpen waar er vuilnis langs de weg stond, daar zou ik hem dan gewoon bij zetten.

Nadat ik de laatste zak kleding in de bak had laten vallen, liep ik terug naar de auto. Ik sloot het portier, pakte mijn telefoon en toetste het nummer van Carolina in.

'Hallo, ik vertrek nu uit Breskens, Carolina. Het was nog een heel gedoe om alles op te ruimen en in te pakken. Ik denk dat ik over een uur of twee in Rotterdam ben.'

'Oké, doe rustig aan, hè. Luister eens, je zult hier aan het eind van de middag aankomen, als je vanavond nou eens bij ons een hapje mee-eet? Dan hoef je niet meteen de keuken in zodra je thuiskomt.'

Ik wilde niets liever, maar omdat mijn rol dat van me eiste protesteerde ik eerst: 'Nee, ik heb geen honger...'

'Je moet toch eten,' zei die lieve Carolina resoluut, 'en daarbij ben je nu al dagen alleen. Ik reken op je en daarmee uit. En als je wilt help ik je na het eten met het uitpakken van de koffers!'

'Je bent een schat, Carolina,' zei ik.

Het waren de eerste volkomen oprechte woorden die ik in weken gesproken had.

Toen ik de telefoon uitzette zag ik opeens dat er een wit papiertje onder mijn ruitenwisser zat. Een bon. Het was mij helemaal ontgaan dat er op deze parkeerplaats betaald moest worden. Kennelijk waren ze terwijl ik met zakken kleren op weg was naar de container bij de auto langsgekomen.

Ik stapte uit, griste het papier onder de ruitenwisser vandaan en stapte weer in. Veertig euro ging deze grap kosten. Op zich al erg genoeg, maar dat viel in het niet bij het feit dat mijn aanwezigheid op deze plek, op dit tijdstip, net voordat ik Carolina gebeld had met de mededeling dat ik uit Breskens vertrok, nu officieel was vastgelegd.

'Shit!' riep ik en sloeg met mijn hand op het stuur.

Nóg een los eindje erbij.

Tegen de tijd dat ik over de Zeelandbrug reed kon ik het gelukkig relativeren. De kans dat iemand deze discrepantie in mijn verhaal ooit zou ontdekken was uitermate klein.

Bovendien was er een supermarkt in het winkelcentrum, ik zou altijd kunnen zeggen dat ik daar wat boodschappen had gedaan, alvast voor thuis. Mijn algehele verwardheid na Henry's vertrek zou hopelijk een afdoende verklaring zijn voor het feit dat ik me tijdens het telefoongesprek met Carolina vergist had.

Mijn stemming verbeterde met iedere kilometer die ik dichter bij huis kwam. Ik fantaseerde over de veranderingen die ik geleidelijk aan in huis aan zou brengen. Bij Dordrecht realiseerde ik me opeens dat ik de koffer nog achter in de auto had; door de parkeerbon was ik helemaal vergeten die ergens in Goes te dumpen.

Ik ging van de snelweg af om het ding in Dordrecht achter te laten. Ik belandde in een wijk met veel flats waar nergens vuilniszakken te zien waren, het was ook eigenlijk te laat op de dag. Uiteindelijk zette ik de koffer, die ik in het vakantiehuisje zorgvuldig gestofzuigd en afgenomen had, op een parkeerplaats bij een supermarkt neer. Ik veegde het handvat af met mijn zakdoek en reed weg. Voorzover ik kon nagaan had niemand me gezien.

Om half zes draaide ik de auto de oprit op. Ik was eerder thuis dan Carolina verwachtte, maar dat viel wel te verklaren: door mijn gespannen toestand zou ik zeer wel harder hebben kunnen rijden dan ik gewoonlijk deed.

Ik stapte uit om de garagedeur open te doen en reed vervolgens vlug de auto naar binnen. Het was goed dat ik vroeg was en dat Carolina niet meteen naar buiten kwam om me te begroeten. Zo zag ze de auto niet, al zou de barst in de koplamp haar waarschijnlijk niet opgevallen zijn. Maar het was ook veel prettiger om de bagage ongezien naar binnen te kunnen brengen, het zou goed kunnen dat ik iets over het hoofd had gezien, iets wat haar zou opvallen aan de tassen en koffers. Snel sjouwde ik alles de trappen op naar de slaapkamer. Zonder erbij na te denken deed ik de deur open en stapte naar binnen.

Daar was het bed, het afgehaalde bed – dat klopte natuurlijk helemaal niet, wie haalt er zijn bed af voordat hij op vakantie gaat?

Maakt niet uit, zei ik in gedachten tegen mezelf, niemand was hier geweest terwijl ik weg was. Carolina had de plantjes voor me verzorgd, maar die had ik voor mijn vertrek allemaal in de huiskamer gezet, zoals ieder jaar tijdens de vakantie. Ik besloot zo snel mogelijk een set schone lakens te wassen en die in de tuin te drogen te hangen. Het bed meteen bij thuiskomst verschonen was een begrijpelijke daad van een vrouw die door haar echtgenoot bedrogen was. Op die manier zou er meteen een goede verklaring zijn voor het feit dat er nog niet één huidschilfer van Henry in het gezamenlijke bed te vinden was.

Toen ik met de tassen verder de kamer in liep viel me iets op.

Het rook vreemd.

Het rook naar bloed.

Mijn eigen bloed stroomde bonkend naar mijn hoofd en ik voelde mijn hart tekeergaan. Tegelijkertijd hoorde ik in de verte een deurbel rinkelen. Het duurde even voordat ik doorhad dat het míjn bel was.

Ik haastte me de trap af en deed open.

'Hallo, Linde, ben je er nú al?'

'Carolina, ja, ik... ik denk dat ik harder heb gereden dan mijn bedoeling was...'

'Zal ik even binnenkomen?' vroeg ze zacht.

'Weet je, ik ga liever meteen naar jullie huis toe. Ik... het valt niet mee, alleen thuiskomen in een leeg huis...'

Carolina pakte mijn arm vast en leidde me mee naar haar huis, waar het heerlijk rook, naar oregano, gesmolten kaas. Ik realiseerde me dat ik in geen tijden meer een echte warme maaltijd gegeten had, op de een of andere manier had ik in Breskens de rust niet gehad om te koken.

'Hallo, Linde...'

Ben stond op uit een gemakkelijke stoel en liep naar me toe. Hij nam mijn handen in de zijne en keek me doordringend aan.

'Hoe is het met je?'

'Gaat wel hoor, ik red het wel. Weet je, Henry kan ieder moment bellen en terugkomen, toch? Ik zie dit als iets tijdelijks.'

Uit mijn ooghoek zag ik Carolina naar haar man kijken en haar hoofd schudden, alsof ze wilde zeggen: laat haar nou maar even.

'Lust je een glaasje wijn?'

'Graag, Ben, dat zal wel smaken.'

Carolina glimlachte naar Ben, terwijl hij de wijn inschonk. Even voelde ik een steek van jaloezie, maar er was gelukkig weinig tijd om daarbij stil te staan. Carolina maakte een gebaar in de richting van de tuin.

'Het eten is klaar, kom, neem je glas maar mee naar de tafel!'

De tuindeuren stonden open, ze had de tafel op het terras gedekt. Ze verdween naar de keuken, om even later te verschijnen met een dampende ovenschaal in haar handen.

'Lasagne, lust je dat?' vroeg ze.

'Graag, ik heb zelfs erge honger, ik realiseer me net dat ik vanmiddag vergeten ben om te eten!'

Dat laatste was gelogen, maar het klonk wel goed en ik wilde mezelf een alibi verschaffen om flink toe te kunnen tasten. Als Carolina en Ben zich al verbaasden over mijn eetlust, dan zwegen ze daar wijselijk over.

'Was er eigenlijk iets aan de hand, dat Henry's vertrek zou kunnen verklaren?' vroeg Carolina, toen het eten op was en Ben in de keuken met de afwas en de koffie bezig was.

Nu kwam het erop aan mijn rol overtuigend neer te zetten.

'Nou,' zei ik aarzelend, terwijl ik met de steel van mijn wijnglas speelde, 'weet je nog dat ik tegen je zei dat ik even gedacht had dat hij vreemdging...?'

Carolina knikte, haar donkere ogen onleesbaar. Ik ging door.

'Nu denk ik dat het toch waar was, dat hij een vriendin heeft en dat hij met haar...'

'Ach, Linde...'

Ze legde haar hand op de mijne.

Ze zei verder niets en ik wist ook zo gauw niets te zeggen. Ik staarde naar onze handen op de tafel, en hoorde ondertussen de geluiden die Ben in de keuken maakte.

Henry deed nooit wat in de keuken.

Ik stelde me bij de geluiden voor wat Ben aan het doen was. Ik hoorde hem met een garde melk opkloppen voor de koffie, ik hoorde kopjes op schoteltjes gezet worden.

Ik schrok op van het geluid van Carolina's stem.

'Het hoeft niet per se te betekenen dat jullie huwelijk voorbij is.'

Ik begreep niet waar ze het over had en keek haar aan.

'Hoe bedoel je?' vroeg ik.

Terwijl ik het zei viel me op dat haar ogen nu vochtig waren.

Ze schraapte haar keel.

'Als een van de partners een buitenechtelijke relatie heeft, betekent dat nog niet meteen het einde van een huwelijk... Soms kun je er samen uitkomen, wordt je relatie er uiteindelijk zelfs beter van...'

Ik betrapte me erop dat ik rechter ging zitten in mijn stoel. Het klonk alsof Carolina niet alleen mij ergens van probeerde te overtuigen. Was er tussen haar en Ben ook zoiets voorgevallen?

Ik wilde het aan haar vragen, maar op dat moment kwam Ben uit de keuken, met drie dampende kopjes cappuccino op een dienblad.

'Ik heb cafeïnevrij genomen, is dat goed?' vroeg hij.

'Prima, ik slaap niet al te best, de afgelopen week,' zei ik, naar waarheid.

Carolina zei niets. Het leek alsof ze onwillekeurig verstijfde, nu hij weer naast haar zat.

Ik ben niet lang daarna naar huis gegaan, met de mededeling dat ik uitgeput was. Eenmaal thuis ben ik nog even in de slaapkamer gaan kijken, omdat ik wilde ontdekken waar de geur die daar nog steeds hing vandaan zou kunnen komen, maar ik vond niets. Ik heb het raam op een kier gezet en ben toen naar de logeerkamer gegaan, waar ik voor mezelf het bed op heb gemaakt. Ik denk dat ik op termijn Henry's werkkamer annexeer, maar dat kan pas als er heel wat tijd verstreken is.

*

Dinsdag 2 juli

Het was een gekke dag vandaag.

Ik had verwacht dat thuis het gevoel van vrijheid waar het allemaal om begonnen was wel zou komen. Halverwege de ochtend realiseerde ik me opeens dat het er helemaal niet was. Niet 's ochtends vroeg, toen ik in het logeerbed wakker werd, niet onder het ontbijt waar ik ongestoord de krant kon lezen.

En ook later kwam het niet. Ik rommelde wat, pakte de tassen van de vakantie uit en deed volgens plan schone lakens in de machine, die ik later demonstratief buiten ophing. Daarna ben ik in de tuin gaan werken, hoewel dat eigenlijk helemaal niet nodig was, maar ook daar kon ik mijn draai niet echt vinden. Aan het eind van de middag heb ik uitgebreid gekookt, een quiche met groenten en kaas die ik normaliter erg lekker vind, maar het smaakte me niet echt.

Waar blijft toch dat bevrijde gevoel?

Toen mijn vader stierf was het er wel, meteen, en het bleef maandenlang, als een vrolijk muziekje op de achtergrond van mijn leven, dat alle dagelijkse zorgen en beslommeringen overstemde. Waarom is het er nu niet?

*

Woensdag 3 juli, 9.00 uur

Vannacht, in bed, wist ik het opeens. Ik had al een uur of twee liggen draaien, ik kon niet in slaap komen, toen ik me opeens realiseerde wat het was.

Toen mijn vader stierf was ik niet alleen.

Er was iemand bij me, die wist wat er was voorgevallen en begrip had voor mijn daad. Iemand met wie ik het gevoel van bevrijding kon delen.

Dat is het verschil.

*

Woensdag 3 juli, 22.00 uur

Vanavond heb ik Pierre gebeld. Ik kreeg Bea aan de lijn, wat ik al verwachtte, want Pierre is net als Henry, die neemt ook nooit de telefoon op.

'Linde, hoe is het,' zei Bea.

Ze dacht er geen moment aan dat ik eigenlijk in Breskens hoorde te zitten, wat me overigens niet verbaasde; in de twintig jaar dat zij en ik in naam familie zijn, heeft ze nog nooit oprechte belangstelling getoond. Vanaf het moment dat ik haar leerde kennen heb ik het gevoel gehad dat ze me om de een of andere reden niet mocht. Of me te min vond, ik weet het niet. In ieder geval heb ik altijd het gevoel gehad dat ze me bewust op afstand hield.

'Ik bel om te vragen of jullie misschien iets van Henry gehoord hebben...'

'Van Henry, hoezo?'

Snotterend vertelde ik het hele verhaal. Voorzover dat mogelijk was voelde ik haar nog meer afstand nemen, nog meer reserve inbouwen. Ze maakte de noodzakelijke troostende opmerkingen en voorspelde plichtsgetrouw dat alles vast wel goed zou komen, maar iedere zin was zo geconstrueerd dat die niet tot complexe reacties zou kunnen leiden. Het hele trieste gesprek was binnen een kwartier afgerond. En daarmee had ik de familie ingelicht.

*

Donderdag 4 juli

Het was een bizarre dag vandaag, vol emoties en spanningen.

Het begon eigenlijk vannacht al.

Ik heb weer van Ben gedroomd.

Nu droomde ik dat hij bij mij woonde, in dit huis. We lagen samen in het grote bed, alleen was het een ander groot bed, zo'n ouderwets spijlenbed, met daarop een uitbundig gebloemd dekbed. De hele kamer was anders, de wanden waren zalmkleurig geverfd en in plaats van de klerenkast die ik altijd lelijk heb gevonden stond er nu een antieke dekenkist tegenover het bed. Alles tot in de puntjes verzorgd en precies mijn smaak.

Naast me in die mooie kamer, in het romantische bed, zijn krullen op het gebloemde kussen, lag Ben. Hij had zijn ogen dicht, door zijn half open mond hoorde ik hem zachtjes ademen. Opeens bewoog hij in zijn slaap, zijn hand tastte het bed naast zich af tot hij mij gevonden had. Met een arm losjes over me heen geslagen sliep hij verder.

De sfeer van de droom hing nog om me heen toen ik later die ochtend met een kopje koffie op mijn terras ging zitten. Ik had de krant bij me en vouwde die open, maar de wind blies hem uit mijn handen, hij woei verderop de tuin in, tegen een struik aan. Ik stond op en liep er naar toe.

'Dag buurvrouw!' hoorde ik opeens.

Ben.

Hij was net als ik met een kopje koffie en de krant buiten gaan zitten, maar omdat er tussen onze terrassen een muurtje staat, had ik hem niet gezien. Verbaasd keek ik hem aan.

'Wat doe jij thuis?'

'Ik ben vrij op donderdag, weet je nog? Dat heb ik je toch verteld?'

Hij keek me aan met opgetrokken wenkbrauwen, alsof hij niet verwacht had dat ik zoiets zou vergeten.

'Eh... ja,' stamelde ik, 'dat is waar ook. Maar weet je... er is sindsdien zo veel gebeurd...'

'Sorry, daar dacht ik even niet aan,' zei hij. Hij hield zijn hoofd schuin en glimlachte verontschuldigend naar me.

'Kan ik mijn fout misschien goedmaken door je een kopje van mijn beroemde cappuccino aan te bieden?'

'Graag!' zei ik gretig.

Iets té gretig, vond ik zelf, maar het was eruit voor ik er erg in had.

'Je weet de weg!' antwoordde Ben vrolijk.

Terwijl ik over het paadje achter onze huizen liep, trok ik snel mijn T-shirt recht en haalde mijn handen door mijn haar om het een beetje te fatsoeneren.

'Ga zitten,' riep Ben vanuit de keuken, waar hij de melk stond te kloppen.

Terwijl ik op hem wachtte dacht ik even aan Carolina, met wie ik in een ander leven aan deze zelfde tafel had gezeten.

'Kijk eens,' zei Ben en hij zette de dampende koffie voor me neer.

Hij ging zelf ook zitten, pakte zijn eigen kopje op en blies erin, om het vervolgens weer neer te zetten. Hij keek me aan met een ondeugende glimlach.

'Vertel me nu eens hoe het écht met je gaat?' vroeg hij.

Vertel me nu eens hoe het écht met je gaat.

Wat bedoelde hij daarmee?

Die vraag spookt de hele dag door mijn hoofd.

Op de een of andere manier voelt hij dat ik in gedachten met hem bezig ben, denk ik. Maar als hij dat aanvoelt, waarom stelt hij dan zo'n vraag? De enige verklaring die ik daarvoor kan bedenken, is dat hij zelf ook iets voelt, dat hij iets wil met dat gevoel van mij.

Tot die conclusie kwam ik vanavond rond een uur of acht, nadat ik er de hele dag over had lopen denken. Ik was op dat moment bezig de tafel op mijn terras, waar ik net een boterham gegeten had, schoon te vegen. Aan de andere kant van het muurtje hoorde ik Carolina vertellen over een moeder van een van de patiëntjes in het ziekenhuis, met wie ze vanochtend een aanvaring gehad had. Ze zat een beetje te zeuren en ze herhaalde zichzelf nogal. Ben reageerde dan ook nauwelijks.

*

Vrijdag 5 juli

Carolina en Ben zijn vanochtend vertrokken, ze gaan drie weken naar de Provence.

Drie weken, het doet bijna lichamelijk pijn als ik eraan denk.

Toch is het eigenlijk beter zo. Want de gevoelens die ik voor Ben heb, zijn – of ze nou beantwoord worden of niet – een complicatie die ik me eigenlijk niet kan permitteren.

De komende weken zal het erom spannen.

Henry zal maandag op zijn werk gemist worden. Ik verwacht in de loop van die dag een telefoontje, waar ik adequaat op zal moeten reageren. Het telefoontje naar Pierre en Bea zal ook nog wel een staartje krijgen, vermoed ik. En, mede afhankelijk van de reacties van zowel het werk als Pierre en Bea, zal ik moeten besluiten of en zo ja hoe ik Henry's verdwijning bij de politie zal melden. Als ik de komende weken stralend verliefd rondloop, is de kans dat ik bij dat alles overtuigend overkom niet zo groot.

Of zou het me juist de energie en creativiteit geven die ik nodig heb?

*

Zaterdag 6 juli

Ik heb iets gedaan waar ik me vreselijk voor schaam.

Ondanks die schaamte weet ik nu al dat ik het morgen weer ga doen.

Ik ben vanochtend in een opwelling bij Carolina en Ben naar binnen gegaan en heb daar zitten rommelen in Carolina's bureautje. Ze heeft zo'n mooi antiek schrijftafeltje, met allemaal kleine laatjes. Doelbewust heb ik die één voor één opengedaan, op zoek naar brieven of andere papieren waar ik informatie over Ben uit zou kunnen halen.

In het onderste laatje vond ik haar dagboek. Dat ben ik gaan lezen.

Ik ben achteraan begonnen.

Eergisteren heeft ze er voor het laatst in geschreven, het hele verhaal over die moeder in het kinderziekenhuis, dat ze voordat ze het aan het papier toevertrouwde ook al uitgebreid aan Ben had zitten vertellen. Niet interessant.

Al lezend bladerde ik terug.

Woensdag niet zo veel interessants. Wat geneuzel over het feit dat ze zich op de vakantie verheugde, dat het haar en Ben goed zou doen om drie weken samen te zijn enzovoorts.

Ik begon de aantekeningen van dinsdag te lezen en stuitte meteen bij de eerste regel op mijn eigen naam.

'*Ik heb zo met Linde te doen...*' schreef ze.

Mooi, dacht ik, dat is de bedoeling.

Ik las verder. Haar schrijfstijl was slecht, ze herhaalde bepaalde woorden steeds, zoals 'maar' en 'toen' en ze gebruikte idioot veel komma's en maakte lange zinnen, waarbij ze regelmatig ergens halverwege de draad kwijtraakte.

Toch las ik in één ruk door. Want ze schreef over het feit dat de gebeurtenissen tussen mij en Henry haar deden denken aan '*...de geschiedenis van toen...*' Ze schreef dat ze zich tot nu toe nooit had gerealiseerd hoeveel er was om dankbaar voor te zijn. '*Hij heeft me tenminste niet verlaten,*' schreef ze. '*Hij was weliswaar ontrouw, maar hij heeft uiteindelijk zonder één moment te aarzelen voor mij gekozen en er toen ook alles aan gedaan om het tussen ons weer goed te krijgen...*'

Ze sloot haar overpeinzingen af met de zoetsappige conclusie dat ze zich geen betere man kon wensen.

Een mengeling van gevoelens ging door me heen.

Medelijden. Minachting.

Vreugde.

Als Ben eerder al eens een buitenechtelijke relatie aan was gegaan, was de kans aanwezig dat hij het opnieuw zou doen. En wie weet kon het met de juiste vrouw anders aflopen dan de vorige keer.

Ik heb het hele dagboek doorgespit, in de hoop meer informatie te krijgen over Bens affaire, maar er stond verder niets relevants meer in. Het was ook niet zo veel, dit schrift bestreek twee maanden. Er moesten ergens nog meer schriften zijn, maar die lagen niet in het bureautje. Ik wilde ze elders in het huis gaan zoeken, toen ik door de muren heen de telefoon in mijn eigen huis hoorde overgaan en me realiseerde dat ik al anderhalf uur achter Carolina's bureautje zat.

Ik ben vlug naar huis gegaan, om te voorkomen dat ik de telefoon nóg een keer niet op zou kunnen nemen. Stel je voor dat degene die mij de eerste keer probeerde te bereiken later nog eens zou bellen en dan opnieuw geen gehoor kreeg? Ik hoor thuis te zitten, wachtend op een bericht van Henry.

Natuurlijk ging de telefoon niet meer over, toen ik eenmaal thuis was. Ik vervloekte degene die mij gebeld had, maar ik durfde de deur niet meer uit te gaan.

Morgenvroeg ga ik weer, 's ochtends word ik toch nooit gebeld.

*

Zondag 7 juli

Na tien minuten zoeken heb ik de andere schriften gevonden, ze lagen in haar klerenkast, onder een stapel winterbroeken. Zittend op het bed ben ik gaan lezen. Ik moest veel nietszeggende tekst doorwerken, dus op een gegeven moment ben ik er lekker bij gaan liggen. Op zíjn helft van het bed.

Ik was met het nieuwste schrift begonnen, met de bedoeling de schriften zo ver als nodig was in omgekeerde volgorde te lezen. Aan het begin van het eerste – eigenlijk dus laatste – schrift was duidelijk dat Bens affaire al was ontdekt, dus ik had de neiging om meteen het schrift daarvóór te pakken. Dat heb ik niet gedaan, ik wil zo veel mogelijk te weten komen over hun relatie. Datgene wat er tussen hen gebeurd is nadat Bens ontrouw aan het licht is gekomen kan heel waardevol voor mij zijn. Het leert me de zwakke plekken in hun relatie kennen, denk ik, en ook de punten waarop ze elkaar juist vinden. En zelfs als ik op dat gebied niet veel wijzer word kan de informatie van pas komen, al is het maar om op een gegeven moment bij Ben de suggestie te kunnen wekken dat Carolina me schaamteloos in vertrouwen heeft genomen over wat er tussen hen allemaal is voorgevallen.

Het schrift stond vol met algemene bespiegelingen over relaties. Carolina worstelde met de vraag wat zij en Ben voor elkaar betekenden, of ze elkaar eigenlijk wel kenden, of ze wel echt van elkaar hielden. Ze beschreef ook de gesprekken die ze er met vriendinnen over voerde. Even voelde ik een steek van jaloezie – waarom had ze mij nooit in vertrouwen genomen?

En waarom had ik niet zulke vriendinnen, terwijl Carolina er minstens twee leek te hebben met wie ze de intiemste details van haar relatie met Ben besprak?

Intieme details.

Ik vergat op slag mijn jaloezie.

Ze schreef over een gesprek dat ze met ene Els gehad had, iemand die ze van haar vrijwilligerswerk kende. Carolina had haar verteld dat ze dacht dat Ben haar niet meer zo aantrekkelijk, niet meer zo spannend vond. Els had op haar beurt verteld dat de seks tussen haar en haar echtgenoot ook behoorlijk geminderd was in de loop der jaren, ze deden het nog niet eens een keer per maand. Ik betrapte mezelf op een idioot gevoel van trots omdat *mijn* man me tot het bittere eind aantrekkelijk was blijven vinden.

Ik las verder, zonder verder nog iets interessants tegen te komen. Terwijl ik het volgende schrift opensloeg viel mijn blik op de wekker naast het bed. Het was twintig over twaalf, ik zat al bijna twee uur te lezen. Op een plek waar ik het niet kon horen als de telefoon in mijn eigen huis over zou gaan. Vlug deed ik mijn schoenen weer aan, borg de schriften op en ging naar huis.

Alsof de duvel ermee speelde, rinkelde de telefoon zodra ik thuis de voordeur achter me dicht had laten vallen. Ik rende erop af.

'Linde, hallo, met Bea. Waar was je? Ik probeer je al de hele ochtend te bellen!'

Typisch Bea. Ze vraagt niet eerst hoe het met me is, ook al

ligt mijn leven in puin. Nee, ze roept me meteen ter verantwoording.

'Ik heb de telefoon niet gehoord... Ik was in de tuin bezig, ik werk de afgelopen dagen veel in de tuin, om een beetje afleiding te hebben...'

'Luister,' onderbrak ze me, 'ben je vanmiddag thuis? Pierre en ik willen je graag even komen opzoeken.'

Dat was natuurlijk een leugen, ongetwijfeld was een bezoek aan mij wel het laatste waar ze op deze mooie zomerdag zin in hadden.

'Dat vind ik ontzettend lief van jullie,' loog ik terug.

'Mooi, een uur of drie?'

'Prima, ik zorg dat de koffie klaar is!'

Zodra ik opgehangen had liep ik de tuin in. Ik haalde de grasmaaier uit de schuur en duwde die in keurige rechte banen over het gazon. Vervolgens harkte ik het afgesneden gras bij elkaar, erop lettend dat er voldoende sprietjes bleven liggen om duidelijk te maken dat het gras pas gemaaid was. De hark zette ik tegen de schuur. Daarna woelde ik met een schoffel de borders een beetje door, vooral op de zichtbare plekken. Ten slotte legde ik mijn tuinhandschoenen in de keuken op de vensterbank en ging naar boven.

In mijn klerenkast zocht ik een uitgesproken truttig bloesje op, dat ik tevreden combineerde met een fletse broek. Ik had mijn haar net die ochtend gewassen, maar met een klein beetje bodylotion zag het er binnen een mum van tijd goed verwaarloosd uit. Even heb ik met bruine oogschaduw in mijn handen gestaan, met het idee om de wallen onder mijn ogen eens flink op te waarderen. Maar ik heb me ingehouden, stel je voor dat Bea zou zien dat het oogschaduw was! Als compromis heb ik mezelf zo slecht mogelijk opgemaakt. Lichtblauwe oogleden, roze lippen, een net iets te uitgesproken blos op mijn wangen, ik zag er oogverblindend uit.

Beneden heb ik snel met een mix wat muffins gebakken en ik zorgde dat ik tegen drieën zowel koffie als thee klaar had staan. Stipt om drie uur werd er aangebeld. Terwijl ik me naar de deur haastte, viel mijn blik op mijn spiegelbeeld. Even was ik bang dat ik mijn saaie huisvrouwenlook te erg had aangezet, maar er was geen tijd meer om er nog wat aan te doen.

Ik deed de deur open.

'Linde, hallo!'

Bea pakte me bij mijn bovenarmen beet en kuste me driemaal op de wangen. Pierre volgde haar voorbeeld, althans, hij kuste de lucht in de buurt van mijn oren.

Ze liepen voor me uit naar de voorkamer, waar alles keurig klaarstond op de salontafel.

'Meid, heb je die speciaal voor ons gebakken? Het ruikt heerlijk!' zei Bea, van wie ik wist dat ze permanent aan het lijnen was en het verfoeide als de beleefdheid haar dwong iets te consumeren wat niet in haar dieet paste.

Ze nam er een en at hem met kleine hapjes keurig op.

'Wat is er precies gebeurd?' vroeg Pierre, toen de koffie gedronken was en de papiertjes van de muffins bekruimeld op tafel lagen.

Met gepaste haperingen vertelde ik het hele verhaal, tot en met de geldopnames toe. Jammer genoeg was de rekening van de creditcard nog niet binnen, anders had ik het moeizaam uitgezette Engelse spoor ook vast in kunnen brengen.

'Heeft hij iets tegen jullie gezegd, voor hij wegging? Of heeft hij jullie misschien inmiddels gebeld?' vroeg ik uiteindelijk.

Ze keken elkaar even aan.

'Nee,' antwoordde Pierre toen, 'nee, wij hebben niets van hem vernomen.'

'Dat is toch vreemd...' zei ik, 'ik bedoel, dat hij bij mij weggaat... of in ieder geval tijdelijk... maar dan zou hij toch wel met jullie contact kunnen hebben?'

De aanval is de beste verdediging, had ik bedacht.

'Ach, het contact is door de jaren heen wat verwaterd, natuurlijk,' zei Bea, 'eigenlijk al sinds...'

Sinds jij er bent, dat is wat er op haar tong lag. Ze slikte het nog net op tijd in.

Tevreden bood ik hun nog een kopje koffie aan en natuurlijk nog een tweede muffin, al wist ik van tevoren dat die afgeslagen zou worden. Een half uur later waren ze weg.

*

Maandag 8 juli

Vanochtend zou Henry weer zijn gaan werken.

Ik rommelde wat in de huiskamer, terwijl ik wachtte op een telefoontje, maar er werd niet gebeld. Ik ben wel zes keer gaan kijken of de hoorn er wel op lag, heb het ding tegen mijn oor gehouden om te horen of de lijn open was. Alles was in orde, ze belden gewoon niet.

Ik werd er erg onrustig van. Ik had een hele tekst voorbereid, dat ik op het punt had gestaan zelf te bellen om te vragen of Henry er misschien was enzovoorts. Nu begon ik te twijfelen of ik niet inderdaad zelf moest bellen, of dat niet de meest natuurlijke handelwijze zou zijn, maar ik kwam er niet uit.

Om vijf uur, toen het vrijwel uitgesloten was dat er nog gebeld zou worden, ben ik een rondje om de Kralingse Plas gaan fietsen. Het was mooi weer, de namiddagzon werd door het lome zomergroen versneden tot stoffige, betoverende lichtstrepen. Aan de overkant van de plas tekende het silhouet van de stad zich af tegen een diepblauwe lucht.

Het was prachtig.

Het raakte me niet.

Soms heb ik heel sterk het gevoel dat ik op de een of andere manier iets verkeerd doe, ergens een fundamentele misser maak, waardoor het allemaal nét niet klopt. Dat gevoel is niet nieuw, het is er eigenlijk altijd wel geweest, op de achtergrond.

Zouden anderen zich óók zo gemankeerd door het leven bewegen? Of kennen zij een geheim waardoor wat ze doen méér is dan doelloos bewegen in een lege ruimte?

Het is raar – ik voel me aan de ene kant minder, alsof ik de enige ben die er steeds maar niet in slaagt om de juiste dingen te doen, waardoor alles moeiteloos op zijn plaats valt. Terwijl ik aan de andere kant, als ik kijk naar de concrete mensen in mijn omgeving, me vaak juist veel beter voel. Ik bedoel: wat stelde Henry's leven voor? Of dat van Carolina? Zij hebben niet eens in de gaten hoezeer ze de plank misslaan. Als ik aan hen denk, heb ik het gevoel dat ik véél verder ben. Om me het volgende moment weer klein en weerloos te voelen, niet toegerust voor een leven waarvan zin en doel me ontgaan.

Als ik terugkijk heb ik zolang ik me kan herinneren de overtuiging gehad dat het altijd zo zou blijven, dat het nooit helemaal zou kloppen bij mij. Ik rommelde wat in de marge, had hier en daar mijn goede momenten en deed verder mijn best om de grote lijn zo veel mogelijk uit het oog te verliezen.

Zou het anders kunnen?

Zou ik misschien toch ooit kunnen leren leven met een vanzelfsprekende overtuiging dat ik ben zoals ik hoor te zijn?

Ik heb er nooit in geloofd, óók niet toen ik besloot Henry te doden. Zelfs dát besluit was uiteindelijk niet meer dan een voetnoot bij dezelfde monotone tekst.

Zou het meer kunnen worden?

Zou Henry's sterven een betekenis kunnen krijgen die zijn trieste leven overstijgt en die aan het mijne een werkelijk nieuwe wending geeft?

Toen ik vanmiddag in het Kralingse Bos was had ik het gevoel dat ik op een grens stond, dichter bij een ander soort leven dan ik ooit geweest ben. Maar ik had geen idee welke kant ik me op moest bewegen om die grens te passeren. En dat akelige gevoel heb ik nog. Ongetwijfeld hangt het helemaal van mij af of het wel of niet lukt, maar ik heb er geen notie van hoe ik ervoor moet zorgen dat ik de goede kant op ga.

⋆

Dinsdag 9 juli

Toen vanochtend om elf uur de telefoon nog steeds niet gegaan was, besloot ik zelf naar Henry's werk te bellen. Ik draaide zijn directe nummer, in de verwachting dat ik met Mila zou worden doorverbonden. Een mij onbekende vrouw nam op, waar ik zo door overrompeld was dat ik opgehangen heb. Niet erg, als ik echt in de situatie zou zitten waar ik zogenaamd in zit, had het precies zo kunnen gaan. Achteraf was ik er zelfs blij mee. Ik was voorbereid op een gesprek met Mila, die ik door de jaren heen redelijk goed heb leren kennen en die door mijn telefoontjes van vóór onze vakantie al rondloopt met het idee dat Henry mij belazert. Een gesprek met een wildvreemd vrouwspersoon waarvan ik niet wist of ze dankzij kantoorroddels op de hoogte was van het zogenaamde overspel, zou een stuk ingewikkelder zijn.

In de loop van de middag bedacht ik dat Mila waarschijnlijk op vakantie was. Dat verklaarde meteen waarom er nog niet gebeld was, want Henry had de gewoonte de eerste dagen na zijn vakantie geen afspraken te plannen, zodat hij op zijn gemak alle ingekomen post en andere tijdens de vakantie geproduceerde stukken kon lezen. Een invallende secretaresse zou er gemakkelijk van uit kunnen gaan dat de lege dagen in zijn agenda betekenden dat hij nog gewoon vakantie had en dat er over de datum van zijn terugkeer een misverstand was.

Henry streefde ernaar twee dagen vrij te houden.

Als mijn redenering klopt, zullen ze morgen bellen.

*

Woensdag 10 juli

Om kwart over negen vanochtend rinkelde de telefoon. Ik liet hem twee keer overgaan en nam toen op, waarbij ik zorgde dat ik een beetje buiten adem klonk.

'Met mij?'

Hoopvol, vragend. Het kwam er perfect uit.

'Goedemorgen, spreek ik met het huis van de heer De Graaf?'

Niet meer, dacht ik.

'Ja, wat...'

Ik liet mijn stem wegzakken en wachtte af.

'U spreekt met Sylvia Dekker van administratiekantoor Tegelaar, ik ben op zoek naar de heer De Graaf, is hij thuis?'

Ik wachtte even met antwoorden en zei toen zacht: 'Nee, hij is er niet.'

'Wij verwachtten hem vanochtend op kantoor, hij heeft om half tien een afspraak met een klant, maar hij is er nog niet. Kunt u mij zeggen waar ik hem kan bereiken?'

'Nee. Ik bedoel, ik weet het niet. Hij neemt zijn mobiele telefoon niet op...'

'Kan het zijn dat hij onderweg is?' vroeg de stem optimistisch.

'Ik zou het niet weten,' loog ik.

'Mag ik vragen met wie ik spreek?'

'Met...'

Ik schraapte mijn keel en vervolgde op iets luidere toon: 'U spreekt met zijn echtgenote, met Linde de Graaf.'

'Nou, dan hoop ik dat hij er zo is. Dank u wel, mevrouw.'

'Geen dank,' zei ik nog, maar ze had al opgehangen.

Tevreden legde ik de hoorn weer op de haak. Het was mooi weer, ik zette de tuindeuren wijd open en nestelde me met een kop koffie en de ochtendkrant op het terras, benieuwd hoe lang het zou duren tot er opnieuw gebeld zou worden, maar dan door een van de partners. Als ik het goed had ingeschat zou er wel wat tijd overheen gaan – de klant van half tien moest eerst door iemand worden weggewerkt en ook zonder dat zaten de agenda's altijd vol. Het zou wel rond de lunch worden.

Ik kreeg gelijk. Precies om half een belde Kees Greven, een van de oudgedienden die ik al jaren ken.

'Linde, wat is er aan de hand, waar is Henry?' vroeg hij, nadat we elkaar begroet hadden.

Ik barstte in tranen uit. Althans, maakte de daarbij passende geluiden.

'Hij is weg...' snotterde ik.

'Weg?'

'Ja, weg. Hij is aan het begin van onze vakantie verdwenen. Ik denk dat hij al langer een vriendin had, met wie hij er nu vandoor is gegaan...'

Van tevoren had ik getwijfeld over de snelheid waarmee ik deze hypothese naar voren moest schuiven. Uiteindelijk had ik besloten dat ik het er ook een beetje van af zou laten hangen wíe er belde. Kees kende ik al heel lang, Henry en ik kwamen zelfs met enige regelmaat bij hem thuis over de vloer. Gezien onze relatie zou het dus passend zijn dat ik bij hem mijn hart uitstortte.

'Ik heb daarna niets meer van hem gehoord, hij neemt zijn telefoon niet op en reageert niet op berichtjes die ik ingesproken heb.'

Ik snikte nog een keer.

'En er is geld weg, dat is verdwenen van onze spaarrekening. Het is er al vóór onze vakantie afgehaald, maar dat heb ik toen niet gemerkt, er zijn ook afschriften zoek. Ik denk... Ik dacht... Ik had gehoopt dat hij wel gewoon zou gaan werken. Ik heb gisteren ook gebeld naar zijn nummer bij jullie, maar toen bleek dat nog doorgeschakeld te zijn naar de secretaresse en ik heb opgehangen zonder verder iets te zeggen...'

Ik begon nu hard te huilen.

Het duurde even voordat Kees reageerde.

'Jeetje, Linde, ik schrik hier erg van. Ik had er geen notie van dat er problemen waren...'

'Ik ook niet... niet echt tenminste,' huilde ik.

Als ik hem goed had ingeschat was Kees tegen emotionele uitbarstingen van vrouwen niet bestand en zou hij proberen het gesprek zo snel mogelijk af te ronden. Wat mij goed uitkwam, want hoe langer het duurde, des te groter de kans dat ik fouten zou maken.

Inderdaad, om tien over half had hij opgehangen, na allerlei ongetwijfeld welgemeende bemoedigende woorden over me uitgestort te hebben.

Na het telefoontje van Kees wist ik precies wie er als volgende zou gaan bellen. Myrthe Prins, de enige vrouwelijke partner. Kees zou een managementvergadering beleggen, er moest een plan getrokken worden hoe men het beste met Henry's verdwijning om kon gaan. Er moest een verhaal komen voor binnen het bedrijf en een ander verhaal voor de externe relaties. Ze hadden mij daar tot op zekere hoogte bij nodig en ze zouden Myrthe vast aanstellen als go-between. Ik gokte dat ze in de loop van de middag zou bellen, maar dat gebeurde niet.

Vanavond zat ik heerlijk te genieten van het zomerweer, buiten in de tuin, met wijn en kaas, ik had zelfs twee fakkels aangestoken, toen de voordeurbel ging. Ik schrok me helemaal lam, want ik bedacht opeens dat het Myrthe zou kunnen zijn, dat ze het beter hadden gevonden haar persoonlijk bij mij langs te sturen. In paniek doofde ik met de gieter die gelukkig vol was de fakkels en gooide op weg naar binnen mijn wijnglas en de kaas in de kliko.

Het was natuurlijk loos alarm. Een of andere suffe collecte, ik weet niet eens waarvoor. Ik was zo opgelucht dat ik twintig euro heb gegeven.

Het zette me wel aan het denken.

Ik moet beter uitkijken. Als ik feestjes voor mezelf wil bouwen, dan moet ik dat doen op plekken die onverwachte gasten niet te zien krijgen. Of ik moet het zo doen dat de sporen binnen een handomdraai uit te wissen zijn. Dat was me vanavond niet gelukt, de fakkels smeulden nog verdacht na, toen ik trillend in mijn tuinstoel neerplofte.

*

Donderdag 11 juli

Ze belde vanochtend. En ik zat er niet zo ver naast, met mijn idee dat ze misschien langs zou komen. Ze was alleen zo netjes van tevoren met me te overleggen over het tijdstip van haar bezoek.

We spraken af dat ze tussen de middag bij me zou komen eten, dat kwam in haar agenda het beste uit. Ik was er blij mee, het lunchen zou me de gelegenheid geven om mezelf ontredderd te tonen, door dingen uit mijn handen te laten vallen of aan te laten branden. Bovendien leverde het een onuitputtelijke reeks redenen op om me even uit het gesprek terug te trekken als ik daar behoefte aan had – even iets halen uit de keuken, even iets terugbrengen, controleren of ik het gas misschien niet aan had laten staan...

Myrthe Prins ken ik al jaren, ik heb haar nooit gemogen. Ik had daarin een medestander in Corrie, de vrouw van Kees. Vanaf het moment dat Myrthe partner werd en we haar regelmatig tegenkwamen, waren we het erover eens dat ze een vervelende carrièretrut was. Het was overduidelijk dat ze geen belangstelling had voor ons, haar gedrag grensde vaak aan het onbeschofte. Gelukkig was ze lelijk en had ze wat kleding betreft totaal geen smaak en Corrie en ik beleefden er veel plezier aan datgene wat ze aan had samen discreet door te spreken. We hebben heel wat afgelachen, dankzij Myrthe Prins.

Dat is nu voorbij, realiseerde ik me opeens, terwijl ik in de keuken de lunch stond voor te bereiden. Ik zal er niet meer bij zijn.

Myrthe stond precies op de afgesproken tijd op de stoep. Ik had voordien een afbakbroodje in de oven laten verbranden, waardoor er in de keuken en de gang rook hing.

Ik zwaaide de deur open.

'Myrthe!' zei ik, geforceerd uitbundig.

'Hallo, Linde, hoe is het met je.'

Ze keek me niet aan, maar beende meteen resoluut langs me heen naar de kamer. Ik volgde haar.

'Ik heb hier voor ons gedekt, ga zitten, ik moet nog even in de keuken iets doen. Wil je koffie?'

'Lekker,' zei ze.

Haar stem klonk ongeduldig.

Ik bracht haar een kop koffie, waarbij ik in de keuken eerst zorgvuldig wat over de rand van het kopje op het schoteltje liet lopen. Vervolgens legde ik de laatste hand aan de lunch. Ik had lekkere broodjes klaargemaakt, met gesmolten kaas, noten, honing en wat rauwkost als garnering. Ik had erover getwijfeld, maar ze was vaak hier thuis geweest en wist dat ik er plezier in schepte om lekker eten mooi te serveren, dus ik kon het nu niet opeens veel minder doen.

'Je eet vegetarisch toch, Myrthe?' vroeg ik.

Ik had haar daar ooit een ergerlijk uitgebreid exposé over horen houden, toen we een keer tijdens een diner vlak bij elkaar aan tafel zaten.

'Ja,' zei ze, met een blik naar de broodjes, 'fijn dat je daar rekening mee hebt gehouden, Linde.'

Het kwam er uit op een toon alsof ze een ondeugend kind dat eindelijk gewenst gedrag vertoonde, wilde stimuleren om dat vaker te doen.

'Vertel me eens wat er precies gebeurd is,' vroeg ze zonder gêne, toen ze een eerste hap van haar broodje had genomen.

Het mijne lag nog onaangeroerd op mijn bord, daarmee hoopte ik de indruk te wekken dat ik zo van slag was dat ik nauwelijks meer at.

'Ik weet niet zo goed waar ik moet beginnen,' zuchtte ik.

'Gewoon aan het begin,' zei Myrthe quasi monter.

Ze vond het natuurlijk verschrikkelijk dat zij naar mij toe gestuurd was. Ze zat hier puur en alleen omdat ze vrouw was en dat stak ongetwijfeld. Voor het eerst in al die jaren dat ik Myrthe kende, voelde ik een soort verbondenheid met haar. Het deugde niet dat zij iets moest doen waar ze geen zin in had, puur en alleen vanwege haar sekse, dat was weer een typisch staaltje van mannelijke dwingelandij.

Kees mocht dan een hekel hebben aan emotionele gesprekken, Myrthe had dat volgens mij niet minder en daarbij kende zij me veel minder goed dan hij. Kees had gewoon zelf moeten komen, dit was laf en oneerlijk.

Ik besloot het Myrthe niet al te moeilijk te maken. Ik vertelde het verhaal met het minimum aan theater eromheen, wel wat tranen maar geen gierende uithalen. Zonder dat ze erom hoefde te vragen haalde ik de bankafschriften van de diverse geldopnames te voorschijn. Het overzicht van de creditcard was toevallig net vanochtend binnengekomen, zodat ik ook dat kon laten zien.

'Ik heb vanochtend met de Stena Line gebeld,' zei ik, wijzend naar het bedrag, 'het gaat om twee maal een enkele reis...'

Myrthe was even stil.

'We zullen afwachten wat er gebeurt,' zei ze toen.

Vijf minuten later was ze weg.

Met een tevreden gevoel heb ik de rommel van de lunch opgeruimd. Ik had weer met succes een hobbel genomen.

Het zal wel een week of wat duren voor ze weer contact met me opnemen, denk ik. Ik vermoed dat het salaris van juli nog gewoon zal worden uitbetaald en dat ze daarna, als hij nog steeds niet terug is en ook niets van zich heeft laten horen, de geldkraan dicht zullen draaien. Waarschijnlijk mag Myrthe komen opdraven om me dat uit te leggen.

Ik heb de achtduizend euro die ik de afgelopen weken gepind heb boven in een kast verstopt, op tweehonderd euro na, die ik in mijn portemonnee heb laten zitten. Ik zorg ervoor dat ik mijn boodschappen de ene keer met mijn pinpas betaal en de andere keer contant. Zo teer ik heel langzaam in op de cash terwijl ik ogenschijnlijk weinig geld uitgeef, wat past bij het gegeven dat ik depressief op de terugkeer van mijn man zit te wachten.

Zodra ze contact met me opnemen over het stopzetten van het salaris, kan ik grofstoffelijk gaan bezuinigen. Als eerste zal ik al Henry's abonnementen opzeggen, van Canal+ en de NRC tot allerlei stomme financiële tijdschriften die hier iedere maand door de bus rollen. Zijn verzekeringen zeg ik ook op, eerst de verzekeringen die hij voor zijn werk heeft, beroepsaansprakelijkheid en rechtsbijstand en na een paar weken zijn ziektekostenverzekering. Zijn duurste speeltje, de auto, gaat uiteraard ook weg. Ik heb het onding altijd veel te groot gevonden, veel te opzichtig. Ik zal een leuk klein wagentje uitzoeken, dat past veel beter bij mij.

Als zijn salaris niet meer binnenkomt ga ik ook met de bank praten over mijn aandelen, dan zoek ik uit welke ik het beste eerst kan verzilveren en welke ik beter nog een periode ongemoeid kan laten. De erfenis van mijn vader heeft Henry voor mij belegd en later, toen we trouwden, heeft hij met de opbrengst van mijn ouderlijk huis hetzelfde gedaan. Ik wilde het in ons nieuwe huis stoppen, maar daar was hij op tegen, volgens hem was ik een dief van mijn eigen portemonnee als ik dat zou doen. Een paar jaar geleden was de waarde van mijn beleggingsportfolio ongeveer honderdvijftigduizend euro. Daar kan ik het een hele poos mee uitzingen, denk ik. Vier, vijf jaar, als het moet langer.

*

Vrijdag 12 juli

Ik werd vanochtend wakker met de behoefte er even helemaal uit te breken, weg te zijn van dit huis, de rol van de bedrogen vrouw af te schudden. In een opwelling ben ik met een flinke hoeveelheid geld in mijn portemonnee naar de *fast ferry* gefietst, waarmee ik naar Dordrecht ben gevaren. Daar ken ik niemand, dus daar zou ik lekker uit de band kunnen springen.

Eerst ben ik uitgebreid kleren gaan passen, in een dure winkel waar de verkoopster op een zorgzame manier om me heen bleef draaien. Ik heb er een kort zomerjurkje gekocht van soepele, zwarte stof, met spaghettibandjes over de schouders en een heel blote rug. Het stond me verrassend goed, volgens mij ben ik de afgelopen weken ongemerkt wat afgevallen.

In een andere winkel heb ik er elegante zwarte pumps bij gekocht, met een spannende hoge hak.

Om bij te komen ben ik gaan lunchen, op een terrasje aan het water. Daar werd ik aangesproken door een man, weliswaar geen erg aantrekkelijk type, maar het gaf me toch een kick. Zoiets is me in jaren niet meer overkomen.

Na de lunch ben ik binnengelopen bij een schoonheidssalon, waar ik een uitgebreide gezichtsbehandeling heb ondergaan en me heb laten adviseren over make-up. Ik ging er met een tas vol dure kleurtjes en geurtjes weg, opgewonden als een schoolmeisje.

Moe maar voldaan ging ik aan het eind van de middag terug naar Rotterdam. Terwijl ik naar huis fietste, ben ik langs een papierbak gereden, waar ik de schoenendoos en de kassabonnetjes in heb gedaan. Met een vaag gevoel van spijt heb ik de stijlvolle plastic tassen die ik bij mijn aankopen had meegekregen in een vuilnisbak gestopt, nadat ik alles had overgeheveld in een feloranje Albert Heijn-tas.

Thuis heb ik het jurkje meteen weer aangetrokken en mezelf bekeken in de grote spiegel in de badkamer. Ik heb mezelf wel een kwartier staan bewonderen, zo mooi vond ik het staan. Jammer dat ik me er voorlopig niet in kan vertonen.

⋆

Zaterdag 13 juli

Door het gedoe met Henry's werk ben ik aan de dagboeken van Carolina helemaal niet meer toegekomen. Vanochtend dacht ik er opeens weer aan. Na het ontbijt ben ik meteen naar hun huis gegaan – ik moest trouwens ook hoognodig de plantjes water geven, want ook die was ik glad vergeten. Er hingen er al een paar een beetje slap en er had zich een grote berg post op de voordeurmat verzameld.

Toen de klusjes gedaan waren nestelde ik me met een van de schriften op het bed en begon te lezen. Na een bladzijde of tien was het raak. Carolina schreef: '*Ik kan het bijna niet geloven, Ben heeft wéér een vriendin. Terwijl hij gezworen had dat het niet meer zou gebeuren, dat de geschiedenis met Chantal de laatste zou zijn. Vanochtend ontdekte ik toen ik met de was bezig was een condoom in een van zijn broekzakken. Ik heb zo gehuild...*'

Het ging nog een poos verder, over haar radeloze verdriet, het feit dat ze er met niemand over durfde te praten omdat ze zich zo schaamde, enzovoorts enzovoorts. Daar las ik allemaal vlug overheen, ik wilde weten wat er na haar ontdekking was voorgevallen tussen haar en Ben, of ze hem ermee had geconfronteerd, hoe hij vervolgens gereageerd had. Na anderhalve bladzij zelfmedelijden kwam het. '*Na lang aarzelen heb ik Ben tijdens zijn lunchpauze opgebeld. Dat was een vergissing, hij kon natuurlijk niet vrijuit praten. Hij zei wel dat hij veel van me hield en het allemaal uit zou leggen. Dat gaf me een beetje hoop. Over een uur komt hij thuis...*'

De rest van die bladzij was leeg. Op de volgende bladzij schreef ze verder, kennelijk nadat ze met Ben gesproken had. '*We hebben lang en goed gepraat, gisteravond. Ben heeft gezegd dat het hem ontzettend speet dat hij weer de fout in was gegaan, maar het is dit keer niet meer dan een eenmalig slippertje geweest, met een meisje op de sportclub. Die had hem toen hij na zijn training aan de bar een glaasje sap dronk benaderd en van het een was het ander gekomen. Hij heeft me ook uitgelegd dat hij ondanks mijn inzet in onze relatie toch nog een hoop mist en dat dat hem op dit soort momenten kwetsbaar maakt. Ik heb hem beloofd om nóg meer mijn best te doen en hij heeft op zijn beurt beloofd dat hij in het vervolg naar een andere sportschool zal gaan, zodat hij het meisje, dat hem nog iedere keer lastigvalt, niet meer tegen zal komen.*

Ik hou van hem, ondanks alles. Ik blijf het met hem proberen. En hij gelukkig ook met mij.'

Toen ik de passage uit had, ben ik opgehouden met lezen. Ik had helemaal genoeg van Carolina's geneuzel. Een hoop wijzer ging ik terug naar huis.

De relatie van mijn buren deugde voor geen meter, dat was duidelijk. Ben was niet gelukkig en als hij de juiste vrouw tegen zou komen, zou hij Carolina ongetwijfeld verlaten.

Het enige wat ik moet doen, is zorgen dat ik die vrouw ben.

*

Zondag 14 juli, 11.00 uur

Niet te geloven, ik heb een erotische droom gehad. Weliswaar kwam ik er zelf niet in voor, maar dat doet er geen afbreuk aan dat datgene wat mijn onderbewuste mij voorschotelde uitermate opwindend was.

In mijn droom zag ik Ben aan een bar zitten. Hij droeg een korte broek en een hemd en had een handdoek om zijn nek geslagen. Zijn haren waren nat van het zweet en het viel me op dat hij mooie gespierde schouders had. Er kwam een vrouw naar hem toe, gehuld in een strak roze pakje dat veel op een badpak leek. Ze legde haar hand op zijn been en Ben keek verbaasd op. Ze glimlachte naar hem, schoof haar hand langzaam omhoog en begon hem te zoenen. Ben gleed van de barkruk af. Schoof met zijn handen de schouderbandjes van haar roze pakje omlaag. Stroopte het hele pakje naar beneden, tot het om haar middel zat. Streelde haar borsten die blank afstaken tegen zijn gebruinde handen. Zij werkte ondertussen zijn hemd omhoog, haalde een voor een zijn handen even van haar borsten om de mouwen uit te kunnen trekken. Daarna maakte ze zijn broek open en trok die omlaag, terwijl ze haar eigen, nog steeds in roze gehulde heupen tegen hem aan duwde. Zijn handen gleden over haar rug naar haar billen, schoven onder de roze stof, scheurden die met een ongeduldige beweging van haar af. Ze maakte haar mond los van de zijne en lachte, een blije, vrije lach.

Toen werd ik wakker.

De droom blijft me bezighouden. Ik zou er graag met iemand over praten.

Wat betekent het dat ik er zelf niet in voorkom? Durf ik dat nog niet?

Op zich is het denk ik een goed teken dat ik zo'n droom heb. Wie weet wat er in mij loskomt, als ik de juiste partner heb.

⋆

Zondag 14 juli, 22.00 uur

Vanmiddag belde Bea.

'Heb je al iets gehoord, Linde?' vroeg ze, nadat ze gevraagd had hoe het met me ging.

'Nee, jullie?'

Het lukte om mijn stem gespannen te laten klinken.

'Nee, niets.'

Even waren we allebei stil. Toen schraapte ze haar keel.

'Linde, als je wilt kun je best een paar daagjes bij ons komen logeren, dan ben je even niet zo alleen...'

Ik heb Bea nooit gemogen en zij mij ook niet. Waarom vroeg ze dit? Uit plichtsgevoel? Of had ze op de een of andere manier toch met me te doen?

'Wat lief van je, Bea...' zei ik zacht.

'Denk er maar eens over,' zei ze, op een toon alsof ze al weer spijt had van haar aanbod.

'Doe ik, ik vind het echt heel lief. Maar weet je, ergens heb ik het gevoel dat ik beter thuis kan blijven, stel dat Henry belt...'

'Ja, daar zit wat in,' antwoordde ze opgelucht.

Me sterkte wensend hing ze op.

Ik was een beetje verward na haar telefoontje, ik kon het niet goed plaatsen.

Echt belangrijk is dat niet.

Wat er veel meer toe doet dan de motieven achter haar uitnodiging is het feit dat zij er kennelijk van uitgaat dat ik het hier eenzaam en moeilijk zit te hebben. En dat betekent dat zij en Pierre geen argwaan hebben.

*

Maandag 15 juli

Hoewel Carolina's schrijfstijl me tegenstaat, had ik gisteravond besloten dat ik toch alle schriften door ga nemen, omdat het me aanwijzingen op kan leveren over wat Ben belangrijk vindt in een relatie. Ik ben vanochtend rond een uur of negen naar hun huis gegaan, waar ik eerst de post en de plantjes verzorgd heb, om daarna weer naar de slaapkamer te gaan.

Toen ik weer op hun bed lag, met een schrift in mijn handen, moest ik opeens aan mijn droom denken. Vrijwel meteen voelde ik dezelfde aangename spanning in mijn onderbuik waar ik gisteren mee wakker werd. Ik kreeg de onbedwingbare neiging mezelf uit te kleden, mijzelf naakt te zien in de grote antieke spiegel die tegenover Bens bed hangt, zonder kleren aan onder zijn lakens te liggen.

Ik vond mezelf mooi. Met mijn ogen nog steeds gericht op mijn spiegelbeeld kroop ik in het bed.

Ik sloot mijn ogen en ademde zijn geur in.

Toen hoorde ik zijn stem.

Zijn stem, beneden in de gang!

Verstijfd lag ik daar, in de slaapkamer waar ik helemaal niet hoorde te komen omdat Carolina net als ik altijd alle plantjes beneden zette voordat ze op vakantie ging.

Niet alleen was ik boven, ik was ook naakt en ik lag in hun bed.

Nu hoorde ik ook een andere stem, een mij onbekende vrouwenstem. De gedachte dat Ben en Carolina als ze bezoek bij zich hadden niet meteen naar boven zouden komen, gaf me hoop. Ik sprong uit het bed en kleedde me snel aan. Vervolgens stopte ik Carolina's dagboeken onder in de kast en trok het dekbed recht. De kamer zag eruit alsof ik er nooit geweest was.

Voorzichtig deed ik de deur naar de gang open en luisterde. Ik hoorde niets. Terwijl ik gespannen bleef luisteren probeerde ik een manier te bedenken om ongezien weg te komen. Via het balkon? Dan zou ik daar vanaf moeten springen of klimmen, op zich al niet eenvoudig, maar als ze in de huiskamer waren, was er een grote kans dat ze me zouden zien. Daarbij zou ik de openslaande balkondeuren van buitenaf niet goed dicht kunnen krijgen, dus zelfs als het me lukte om ongezien beneden te komen zouden ze erachter komen dat er iemand in hun slaapkamer geweest was. Het balkon was geen optie.

Opeens wist ik het – de badkamer. In onze badkamer is er een ouderwets schuifraam dat zich van buitenaf gemakkelijk dicht laat schuiven en onder dat raam is een plat dak, waar de bijkeuken onder zit. Voorzover ik wist was dat bij Ben en Carolina hetzelfde.

Ik sloop over de gang naar de badkamer. De deur piepte een beetje en ik bleef met ingehouden adem staan, maar er kwam van beneden geen reactie. Ik ging de badkamer in en liet de deur openstaan, in de hoop dat dat niet op zou vallen. Gelukkig, ook hier was er een schuifraam, dat toegang gaf tot een plat dakje. En, heel belangrijk, er was niemand in de tuin.

Het raam klemde een beetje, maar toen het eerste beginnetje er was schoof het verder soepel en geluidloos omhoog. Ik stak een been naar buiten en ging daarmee voorzichtig op het dakje staan. Vervolgens klom ik verder naar buiten en schoof het raam achter me dicht.

Mijn knieën knikten en mijn hart ging als een razende tekeer. Ik ging met mijn rug tegen de muur zitten om even bij te komen. Voorlopig was ik veilig, als ik tegen het huis aan ging liggen was ik noch vanuit de tuin, noch vanuit de badkamer zichtbaar. In het ergste geval kon ik daar tot het donker werd blijven liggen.

Na een minuut of tien was ik rustig en ook om me heen bleef het stil.

Stukje bij beetje schoof ik naar de rand van het dak en gluurde er voorzichtig overheen. Eerst keek ik aan de achterkant omlaag, waar de deur van de bijkeuken zat. Daar was niets wat ik zou kunnen gebruiken om omlaag te klimmen. Ik had mijn hoop gevestigd op de rechterkant, waar het terras was. Carolina en Ben stapelen bij slecht weer hun tuinstoelen op en doen er dan zeil overheen om het hout te beschermen. Ik hoopte dat ze dat voor de vakantie ook gedaan zouden hebben, dan zou ik via het tuinmeubilair omlaag kunnen klimmen.

De stoelen stonden gewoon op het terras.

Met de moed in de schoenen schoof ik naar de andere kant van het dakje.

Daaronder stond een grote oude regenton.

Niet ideaal. Maar ik had niet veel keus.

Ik liet mijn benen over de rand van het dak glijden en probeerde met mijn voeten de ton te vinden. Toen ik niets voelde, liet ik me nog iets verder zakken en daarna nog iets. Pas toen ik aan mijn handen aan de rand van het dak hing, voelde ik beneden de rand van de regenton. Met visioenen van mijzelf ín de ton, de verbaasde gezichten van Carolina en Ben boven me, liet ik los.

Het ging goed.

Ik kon het bijna niet geloven, maar het ging goed.

Ik ben door de struiken heen naar mijn eigen tuin gerend, waar ik eerst een hele tijd in een tuinstoel heb zitten bijkomen. Binnen heb ik mezelf een glas van Henry's duurste cognac ingeschonken, ook al was het pas elf uur 's ochtends.

De rest van de dag voelde ik me lamlendig en waardeloos. Het ergste was nog wel dat ik in het huis van Ben en Carolina geen enkel teken van leven meer ontwaarde. Ik heb expres de hele dag mijn tuindeuren open gehad, zodat ik zodra één van beiden de tuin inging een praatje zou kunnen gaan maken, om uit te vissen waarom ze eerder thuis waren gekomen. Maar het bleef oorverdovend stil.

*

Dinsdag 16 juli

Het blijft stil hiernaast, om gek van te worden.

De hele dag loop ik me af te vragen waarom ze thuis zijn gekomen. Een sterfgeval in de familie misschien? Zitten ze vandaag ergens in een aula van een begraafplaats? Maar dan had Carolina me op de een of andere manier wel gewaarschuwd, zodat ik niet zou schrikken van geluiden in hun huis.

Is misschien een van beiden ernstig ziek, waardoor ze er helemaal niet aan denken om mij in te lichten over hun vervroegde thuiskomst? Zijn ze misschien in het ziekenhuis nu, is het daarom zo stil?

Als er iemand ziek is, dan moet dat Carolina zijn, haar stem heb ik immers niet gehoord. Een ernstig zieke Carolina opent perspectieven. Maar wie was dan de vrouw die ik met Ben hoorde praten?

Is Ben soms in navolging van Henry tijdens de vakantie bij zijn vrouw weggegaan, om vervolgens met zijn maîtresse hierheen te komen? Was hij alleen even thuis om wat spullen op te halen?

Of zijn ze er op de een of andere manier achter gekomen dat ik boven was, dat ik iets aan het doen was wat niet door de beugel kon en proberen ze me met hun stilte uit te lokken om nog een keer in de fout te gaan, om me dan op heterdaad te kunnen betrappen?

Het blijft rondzingen in mijn hoofd. Ik voel me totaal verlamd, er is vandaag helemaal niets uit mijn handen gekomen. Het enige lichtpuntje is dat ik vanmiddag bedacht heb dat ik morgen gewoon hun huis in kan gaan, om voor de plantjes en de post te zorgen, dat doe ik normaliter om de dag. Officieel weet ik van niks, dus het is alleen maar logisch wanneer ik doorga alsof er niets aan de hand is. Hopelijk kom ik dan meer te weten. Ik wou dat het al zover was.

*

Woensdag 17 juli

Wat een anticlimax.

Ongelofelijk.

Ik heb er eerst vreselijk om moeten lachen, maar toen ik eenmaal thuis was heb ik gehuild, omdat ik me opeens realiseerde hoe verschrikkelijk kwetsbaar ik ben – Henry is nog geen vier weken dood en ik ben alweer afhankelijk van een andere man. En al is de manier waaróp niet te vergelijken met de situatie tussen mij en Henry, al is het perspectief om met Ben een gelijkwaardige, harmonieuze relatie op te bouwen veel groter, toch heeft het iets zorgelijks. Kan ik niet veel beter proberen gewoon in mijn eentje gelukkig te zijn?

Vanochtend ben ik rond negenen bij Carolina en Ben naar binnen gegaan. Het viel me meteen op dat er behoorlijk wat post lag, eerder voor twee dagen dan voor één. Ik had de neiging om 'hallo' te roepen, maar kon me net op tijd inhouden. Ik raapte de brieven op en liep ermee naar de huiskamer, waar ik ze boven op de ogenschijnlijk onaangeroerde stapel post op de tafel legde.

Ook elders in de huiskamer was geen enkel teken van leven te zien. Ik pakte de gieter van de vensterbank en liep naar de keuken om hem te vullen. Daar zag alles er nog precies zo uit als twee dagen geleden. Ik gaf de plantjes water, deed er zo lang over als redelijkerwijs mogelijk was, in de hoop dat er op een gegeven moment toch nog iemand naar beneden zou komen, maar er gebeurde niets. Uiteindelijk trok ik iets voor half tien de deur achter me dicht.

Precies op dat moment hoorde ik de telefoon zachtjes rinkelen.

Ik had de neiging de deur weer open te doen, om op te nemen, in de hoop daar iets wijzer van te worden. Ik had de sleutel alweer in het slot gestoken toen ik me realiseerde dat dat het stomste zou zijn wat ik kon doen, ik nam immers nooit de telefoon op als ik in hun huis was. Andersom deed Carolina dat tijdens mijn vakanties óók niet.

Ik deed een stap opzij, zodat ik door het raampje in de deur van binnenuit niet zichtbaar was, en bleef staan luisteren. Zou er iemand opnemen? En zo ja, wie?

Ben.

Ik hoorde Bens stem.

Gevolgd door een pieptoon. Een stem van iemand die ik niet kende sprak een kort berichtje in. Daarna werd het stil.

Het antwoordapparaat.

*

Donderdag 18 juli, 11.00 uur

Ik heb wakker gelegen vannacht, ik heb me urenlang af liggen vragen hoe ik verder moet.

Zal ik toegeven aan mijn neiging om iets te doen met mijn gevoelens voor Ben?

Of moet ik juist proberen mijn leven vorm te geven zonder man?

Een Amerikaanse psycholoog, die ik tijdens het zinloze zappen in Breskens op de televisie ontdekt heb, zegt dat als het om menselijk gedrag gaat, het verleden de enige betrouwbare voorspeller van de toekomst is. Mannen hebben mij tot nu toe niets dan ellende gebracht. Rationeel gezien kan ik dus eigenlijk niet anders dan ervoor kiezen mijn toekomst zonder man in te richten. Maar mijn hart wil daar niet aan. Het wil een kans om een normaal leven te leiden, om bemind te worden, een partner te hebben die ook echt een partner is. Mijn hart wil Ben.

⋆

Donderdag 18 juli, 23.00 uur

Ik voel me veel beter dan vanochtend, het trok gelukkig in de loop van de dag al bij.

Omdat ik me gammel en rot voelde, besloot ik vanmiddag erop uit te gaan voor wat onbeduidende boodschappen. Als eerste ging ik naar de bakker, waar een lange rij ongedurige mensen op hun beurt stond te wachten. Ik sloot achter aan, liet eerst mijn blik verveeld de winkel rondgaan en keek vervolgens uit het raam. Aan de overkant van de straat schuifelde een ouder echtpaar over de stoep. De vrouw liep moeizaam achter een donkerblauwe rollator, een geruite boodschappentas in het metalen mandje. De man hield steunend op een stok hetzelfde, behoedzame ritme aan.

De man zei iets en ze bleven allebei staan. Hij pakte de elleboog van zijn vrouw en stak zijn wandelstok in de lucht. Hij neigde zijn hoofd naar haar toe, zijn blik gericht naar de hemel. Samen tuurden ze langs de stok omhoog, hun hoofden vlak bij elkaar.

Ik kon niet zien waar de man naar wees – een meeuw, of een vliegtuig, of misschien een onbeschaamde schotelantenne die de fraaie naoorlogse daken ontsierde?

Nee, dacht ik, ze keken vast naar iets moois, een sierlijke blauwe reiger, of een uit het Kralingse Bos overgewaaide ooievaar.

Het zag er zo vertrouwd uit, zo intiem. Ik wilde mijn plaats in de rij opgeven, de bakkerij uit lopen en naast ze gaan staan, mijn hoofd bij hun hoofden voegen, met ze mee kijken, langs de wandelstok omhoog. Tranen welden op in mijn ogen en ik wilde net inderdaad maar naar buiten gaan, zodat niemand dat kon zien, toen bleek dat ik aan de beurt was. Ik vroeg om mijn eenzame halfje bruin, rekende af en verliet de winkel. Zodra ik op de stoep stond keek ik omhoog, maar er was niets te zien – ik was te laat.

Opeens, terwijl ik naar de langzaam wegschuifelende gestalten van de man en de vrouw stond te kijken, wist ik dat ik mezelf nog een kans moest geven. Ik wilde niet gedoemd zijn om alleen door het leven te gaan, ik wilde iemand naast me die zou zien wat ik zag, zou voelen wat ik voelde, iemand die alles wat het leven voor hem bijzonder maakte met me zou willen delen.

Ondanks alle mislukkingen in het verleden, tegen de ongetwijfeld verstandige adviezen van de televisiepsycholoog in, besloot ik daar, op de stoep voor de bakkerij, om het nog één keer te proberen.

Dat besluit voelt goed, ook nadat ik er in alle rust over na heb kunnen denken. Ik weiger te accepteren dat ik ben voorbestemd om alsmaar hetzelfde script te volgen, de kansloze gevangene te zijn van één en dezelfde rol. Zelfs als die psycholoog gelijk heeft en er inderdaad ergens een blauwdruk voor mijn leven bestaat, een sjabloon dat me dwingt om mezelf alsmaar te herhalen, dan kom ik daar vanaf nu met alles wat ik in me heb tegen in verzet. Op de een of andere manier zal ik de lei schoonvegen, andere patronen aanleren die ik vervolgens met alle liefde tot in lengte van dagen wil blijven herhalen. Waar heb ik anders al die moeite voor gedaan?

Nu ik erover nadenk realiseer ik me dat het daar de hele tijd al om draait, vanaf het moment dat ik besloot dat het moest stoppen, het verziekte gedoe tussen Henry en mij. Toen ik dat besluit nam, was ik al bezig uit mijn rol te stappen. Het kán dus, de patronen doorbreken.

Wat zou mijn moeder van dit alles gevonden hebben? Weliswaar ben ik net als zij een tijdlang gevangen geweest, maar uiteindelijk heb ik me toch los weten te maken, ik heb de stap opzij gezet, mezelf bevrijd uit de gevaarlijke, verlammende lichtbundels. Zou ze trots geweest zijn, als ze geweten had hoeveel moeite ik me getroost heb om uiteindelijk haar raad op te volgen?

Genoeg gemijmerd!

Morgen ga ik meteen aan de slag, dan pak ik de draad weer op. Als ik hiernaast de planten en de post ga doen, pak ik gewoon een schriftje uit Carolina's kast. Dat lees ik uit en als ik dan wéér in het huis ben, ruil ik het in voor een volgend exemplaar. Op die manier kan ik nog drie schriften lezen, voordat ze terugkomen. Ik neem er één uit de periode toen ze pas getrouwd waren en één ergens uit het midden en dan nog een recent schrift. Hopelijk krijg ik zo een goed beeld van de manier waarop hun relatie zich door de jaren heen heeft ontwikkeld.

Eerst durfde ik de schriften niet mee naar huis te nemen, vanuit de gedachte dat ik ze dan niet meer terug zou kunnen leggen als Carolina en Ben onverhoopt eerder terug zouden komen.

Nu heb ik bedacht dat het best kan, als ik er steeds maar één tegelijk pak. Mochten ze om welke reden dan ook eerder thuiskomen, dan gooi ik dat ene schrift gewoon weg. Carolina merkt waarschijnlijk pas heel veel later dat er eentje ontbreekt, misschien merkt ze het wel nooit. En als ze ontdekt dat er een schrift weg is zal ze het ontbreken ervan niet koppelen aan deze vakantie, aan de periode dat ik op haar huis pas.

*

Vrijdag 19 juli

Ik heb het eerste schrift dat ik meegenomen heb uit. Het is vijftien jaar oud, uit de periode dat ze net getrouwd waren. Veel wijzer ben ik er niet van geworden, behalve dan dat duidelijk is dat ze hoopten dat ze snel kinderen zouden krijgen, wat niet gebeurde. Gek, dat ik daar eigenlijk nooit zo bij stil heb gestaan, dat ze geen kinderen hebben. Ik heb er nooit met Carolina over gepraat.

Toen wij trouwden, wilden Henry en ik ook graag kinderen.

Bij mij verdween die wens op het moment dat het tussen ons ontspoorde. Ik ben naar de huisarts gegaan en heb me de pil voor laten schrijven, die ik innam zonder dat Henry het wist. Later heeft hij wel eens geopperd dat we uit zouden moeten laten zoeken waardoor het niet lukte om zwanger te worden. Ik ben toen zogenaamd naar een gynaecoloog geweest en kwam terug met een of ander lulverhaal over mijn eileiders, die niet goed functioneerden. Henry was zeer bereid te geloven dat de fout bij mij lag zodat hij zich niet hoefde te laten onderzoeken. Ik heb een periode zogenaamd hormonen geslikt om de eisprong te bevorderen, ik heb zelfs gedaan alsof ik een kijkoperatie had ondergaan, wat me drie weken vrijstelling van seks opleverde. Henry slikte het als zoete koek, ook toen ik het uiteindelijke advies van de gynaecoloog overbracht – gewoon blijven proberen; de natuur haar gang te laten gaan.

Carolina en Ben zijn vast de hele molen doorgegaan. Waarom is het dan toch uiteindelijk niet gelukt? Ik heb erg de neiging om het schrift meteen in te wisselen voor het volgende, maar ik ben zichtbaar voor de overburen als ik bij Carolina en Ben naar binnen ga, dus ik wil het liefst niet te veel afwijken van mijn vaste ritme. Ik heb er al over gedacht om 's ochtends heel vroeg te gaan, of 's avonds laat, dan is de kans dat ik gezien word kleiner. Alleen, áls iemand me dan ziet is dat juist extra verdacht.

Ach, laat ik morgenochtend gewoon weer gaan. Als ik dat op het gebruikelijke tijdstip doe, valt het vast niet op, ik neem aan dat er niemand precies bijhoudt op welke dagen ik er kom.

*

Zaterdag 20 juli

Ik heb twee schriften gepakt, wat kan mij het ook schelen.

Het is net alsof ik een spannend boek lees, zo benieuwd ben ik naar datgene wat zich tussen hen af zal gaan spelen. In het eerste schrift lijkt alles nog koek en ei, behalve dan dat Carolina zich zorgen begint te maken over het feit dat ze niet zwanger wordt. Ze schrijft liefdevol over de manier waarop Ben haar opvangt en steunt, iedere keer als ze weer ongesteld wordt. Er is hooguit enige spanning rondom het feit dat Carolina erg bezig is met haar vruchtbare dagen, dan wil ze per se vrijen. Tussen de regels door is te lezen dat Ben daar niet altijd in mee wil gaan, maar het is allemaal nog heel bedekt.

In het volgende schrift lopen de spanningen op.

Carolina is naar de huisarts gegaan, die hen meteen doorverwees naar een gynaecoloog. Eerst werd er bij Carolina bloed afgenomen en Bens zaad werd onderzocht – allemaal in orde. Vervolgens kregen ze de opdracht om een aantal maanden een kalender bij te houden, waarop ze Carolina's ongesteldheden moesten noteren.

Ze kregen de opdracht óók vast te leggen wanneer ze gemeenschap hadden gehad. Daarover ontstond een heftig conflict, want Carolina wilde alles keurig opschrijven, terwijl Ben zei dat het onzin was om in de periodes dat er geen eisprong plaatsvond de gynaecoloog te informeren over hun seksleven. Hij wilde '*gaat je niet aan*' op het voor de seks bedoelde regeltje in de kalender noteren. Ik geef hem groot gelijk, maar Carolina was er helemaal van ontdaan.

Hun eerste grote ruzie.

Uiteindelijk kwamen ze uit op het compromis dat ze de tien dagen rond de eisprong de kalender zoals gevraagd bij zouden houden. Carolina zou mondeling toelichten aan de gynaecoloog waarom de rest niet ingevuld was.

En wellicht was de kalender daarmee toch nauwkeurig, want voor Carolina kwam de seks meer en meer in het teken van de voortplanting te staan. Tien dagen na het kalenderconflict kregen ze dáár ruzie over. Carolina had als reden om niet te vrijen aangevoerd dat te vaak vrijen het zaad zou kunnen verzwakken en Ben had haar in haar gezicht uitgelachen.

Vervolgens had Carolina geopperd dat ze nu erg gefixeerd was op haar vruchtbare dagen, maar dat ze als ze eenmaal zwanger was weer op een normale manier open zou staan voor seks. Ben was woest de deur uitgegaan met de mededeling dat als ze eenmaal zwanger werd, het wellicht nog vijftien jaar zou duren voor ze weer aan een normale seksuele relatie toe zouden komen.

Hij was pas om drie uur 's nachts thuisgekomen.

Misschien is hij die nacht wel voor de eerste keer vreemdgegaan.

*

Zondag 21 juli

Toen ik vandaag de schriften in wilde gaan wisselen voor twee nieuwe exemplaren, kwam ik Adriënne Bartels tegen. Ik liep gelukkig nog op de stoep, ik zag haar net voordat ik het tuinpaadje van Carolina en Ben opging uit de verte naar me zwaaien. Vlug liep ik naar haar toe, om de indruk te wekken dat ik ergens anders heen ging.

'Adriënne,' zei ik met een enthousiasme dat ik niet voelde, 'hoe is het met je?'

'Goed,' straalde ze, pakte mijn arm vast en keek me diep in de ogen. 'Maar hoe is het met jou? Ik heb gehoord...'

Oh, het is zo'n vreselijk mens. Natuurlijk had ze gehoord dat Henry weg was, dat was ook helemaal de bedoeling, het was goed dat er in de buurt over gepraat werd, hoe meer hoe beter. Het verhaal zou er alleen maar overtuigender van worden. Adriënne zou daar een forse bijdrage aan kunnen leveren, zij kent iedereen in de buurt, staat altijd wel met iemand te roddelen. Ongetwijfeld heeft ze de afgelopen weken aan iedereen die het wil horen verteld dat ze altijd al vermoedde dat Henry niet deugde, misschien zou ze zelfs met verhalen komen dat ze hem wel eens met een vreemde vrouw gezien had. Als ze er een primeur mee kon krijgen zou ze er zeker niet voor terugschrikken om te liegen.

Maar ook al zou ze nog zo nuttig kunnen zijn, het mens irriteerde me mateloos. Het kostte me totaal geen moeite om te doen wat bij mijn rol paste.

'Goed, goed, met mij gaat het goed. Het is mooi weer hè?'
'Ja, ja, heel mooi.'
De teleurstelling klonk door in haar stem. Ik wilde al afscheid van haar nemen, toen ze naar de schriften wees.
'Wat is dat?'
'Dit, oh...'
Rotmens, dacht ik, terwijl ik koortsachtig naar een plausibel antwoord zocht.
'Dit zijn schriften met recepten van een vriendin van mij, die verderop in de Lijsterlaan woont. Ik had ze een poosje geleden van haar geleend en ze belde net dat ze erom verlegen zat.'
'Mag ik eens...'
Terwijl ze het zei stak ze haar hand uit naar de schriften.
'Sorry,' zei ik resoluut.
Ik duwde haar hand weg, begon te lopen en riep over mijn schouder: 'M'n vriendin wacht op me! Ze krijgt gasten voor de lunch, daarom wilde ze de schriften terug! Dag Adriënne!'
Op de hoek keek ik even om, maar hoewel ze al weg was, liep ik voor de zekerheid verder, naar de Lijsterlaan. Daar stopte ik de schriften in de band van mijn broek en hing mijn shirt eroverheen, zodat ik met lege handen terug naar huis kon gaan.
Toen ik weer langs het huis van Carolina en Ben ging aarzelde ik even.
Zou ik durven?
Ik keek om me heen, de straat was op een onbekende fietser na leeg.
Met twee nieuwe schriften onder mijn shirt liep ik even later naar huis.

*

Maandag 22 juli

Vanochtend stond de loodgieter opeens op de stoep, ik was helemaal vergeten dat die nog zou komen. Hij kwam onaangekondigd, dus ik had hem met de een of andere smoes weg kunnen sturen, maar er was eigenlijk geen reden om hem niet binnen te laten.

Hij was een hele poos bezig, in de badkamer. Eerst moest de oude wastafel eruit gesloopt worden, wat moeilijk ging omdat de bouten waarmee het ding vastzat verroest waren. Daarna moest de nieuwe gemonteerd en aangesloten worden. Alles bij elkaar was hij twee uur bezig.

Het maakte me onrustig, die man in mijn huis. Vlak bij de slaapkamer waar het allemaal gebeurd was, waar het bed nog steeds onopgemaakt staat, waar het af en toe nog zo vreselijk naar bloed lijkt te ruiken. Ik was blij toen hij eindelijk vertrok.

Het is allemaal begonnen na zíjn telefoontje, zes, nee zeven weken terug.

Onvoorstelbaar.

Het lijkt alsof het al maanden geleden is, dat ik hier met Henry samenleefde. De reis naar Breskens, inclusief de nachtelijke tocht naar België en de verschrikkelijke boottocht naar Harwich, lijkt zo mogelijk nog verder weg. Terwijl het nu precies drie weken geleden is dat ik thuis ben gekomen.

In die weken heb ik dagelijks de krant nageplozen en ook regelmatig naar het Belgische nieuws gekeken, maar er kwamen geen berichten over in natuurgebieden ontdekte lijken.

Iedere dag die verstrijkt, maakt de kans dat er een verband wordt gelegd tussen een in het Zwin gevonden dode en Henry's verdwijning kleiner.

Ik heb uiteindelijk niets bij de politie gemeld, dat scheelt denk ik ook. Hij staat niet als vermist te boek, waardoor de kans dat ze aan hem denken als er ergens iemand gevonden wordt veel kleiner is.

Ik heb besloten dat ik probeer er geen enkele officiële instantie bij te betrekken. Dat doe ik hooguit over een heel lange tijd, als dat om de een of andere reden nuttig is, omdat ik me bijvoorbeeld van hem wil laten scheiden.

Ach, dat soort dingen komt allemaal nog wel. Het belangrijkste is nu dat niemand achterdochtig wordt. En dat ze hem als het even kan voorlopig nog niet vinden.

*

Dinsdag 23 juli

Ik heb Carolina's schriften uit, ze liggen weer keurig op hun plekje in haar kast.

Het verhaal dat ze vertellen is duidelijk. Carolina is een domme vrouw, die iets kostbaars achteloos door haar vingers heeft laten glippen.

Dat zou mij niet zijn gebeurd.

Het zal mij niet gebeuren.

Na allerlei onderzoeken bleek dat Carolina sterk verminderd vruchtbaar was, er was iets ingewikkelds aan de hand waardoor een zwangerschap weliswaar niet uitgesloten was, maar de kans dat het spontaan zou gebeuren was heel klein. Dat vertelde de gynaecoloog toen alle uitslagen binnen waren.

Als eerste stap kreeg ze hormooninjecties om de eisprong te bevorderen. Ze werd er verschrikkelijk labiel van, lag naar eigen zeggen halve dagen te huilen op bed en had nergens zin in. Ben ving haar in eerste instantie liefdevol op, maar na een half jaar waarin haar stemming geleidelijk aan verder verslechterde zonder dat het iets opleverde, was hij het zat. Ze gingen samen naar de gynaecoloog en bespraken verdere opties. De gynaecoloog stelde voor dat Carolina nog een paar maanden door zou gaan met de injecties en dat men dan op haar vruchtbare dagen Bens sperma rechtstreeks in haar baarmoeder in zou brengen, om de trefkans te vergroten. Ze besloten dat te proberen. De geslachtsdaad, die op dat moment binnen hun relatie louter nog de voortplantingswens diende, was daarmee voor Carolina helemaal overbodig geworden.

Natuurlijk ging Ben onder die omstandigheden vreemd, daar kon je op wachten. En Carolina, die het druk had met op bed liggen en huilen, kreeg dat vanzelfsprekend pas veel later in de gaten, toen ze wat vruchtbaarheidsbehandelingen betrof waren gepromoveerd naar de IVF. Op een gegeven moment kwam een vriendin haar vertellen dat ze Ben in de stad op een terrasje had zien zoenen met een andere vrouw, daar kon ze dus moeilijk omheen. Ze confronteerde Ben ermee, wat leidde tot een heftige ruzie, waarin hij haar verweet dat ze helemaal geen aandacht meer aan hun relatie besteedde.

Na een hoop heen-en-weergepraat besloten ze een half jaar afstand te nemen van het hele vruchtbaarheidsgebeuren en de tijd te nemen voor elkaar. Zo gezegd, zo gedaan.

Bijna.

Want Carolina bleef in haar achterhoofd bezig met de wens zwanger te worden, waardoor het vrijen met Ben voor haar eigenlijk nog steeds om iets anders ging dan het samenzijn. Hij moet dat gevoeld hebben, want hij bleef contact houden met die andere vrouw, bleek later. Carolina ontdekte dat nu zelf, op een klassieke manier: hij had lippenstift op de kraag van zijn overhemd zitten.

Enfin, ze praatten weer, Ben probeerde haar opnieuw duidelijk te maken hoe ze tekortschoot, beiden zouden zich weer inzetten, enzovoorts, enzovoorts, een cyclus die zich nog een aantal malen zou herhalen. Carolina bleef dingen beloven die ze niet waarmaakte, waardoor ze Ben geen andere optie liet dan zijn heil elders te zoeken. Een paar jaar lang was dat steeds bij diezelfde vrouw, later verdween zij uit beeld, toen waren het verschillende dames.

Carolina had zich in die tijd verzoend met de gedachte dat er geen kinderen zouden komen, maar het had haar zelfvertrouwen een flinke knauw gegeven. Ze voelde zich schuldig tegenover Ben, alsof ze hem iets ontnam. Daar praatten ze regelmatig over en hij probeerde haar gerust te stellen, wat niet werkte, Carolina bleef piekeren en zeuren, waar ze zichzelf natuurlijk niet echt aantrekkelijk mee maakte. Logisch dat Ben andere vrouwen bleef opzoeken.

*

Woensdag 24 juli

Ik heb een heerlijke dag gehad!

De hele week ben ik aan het aftellen tot Carolina en Ben thuiskomen. Vanochtend bedacht ik opeens dat het een goed idee was om nog een trip naar Dordrecht te maken, net als anderhalve week geleden. Ik wil iets leuks kopen om aan te trekken, iets wat flatteert zonder al te opvallend anders te zijn dan mijn oude garderobe. Met het prachtige zwarte jurkje kan ik niet opeens in de tuin gaan rondlopen, dat valt te veel op. Maar ik wil als Ben me weer ziet ook niet mijn oude, saaie kleren aan hebben. Dus ben ik nog een keer naar de *fast ferry* gefietst, met het plan om eerst eens lekker te gaan shoppen en vervolgens nog een behandeling bij de schoonheidsspecialiste te ondergaan.

Zo gezegd, zo gedaan. Voor ik vertrok had ik tweeduizend euro bij me gestoken, ik stik natuurlijk nog steeds in het contante geld. Tijdens het winkelen raakte ik goed op dreef. Ik paste twee broeken, in dezelfde aardetinten die ik altijd draag, maar van een gladde, soepele stof, die heel mooi viel. Terwijl ik in het pashokje tevreden over mijn schouder naar mijn in de nieuwe broek gehulde achterste stond te kijken, moest ik opeens denken aan Carolina. Net voordat ze op vakantie ging, zag ik haar in de tuin werken en toen viel me op dat zij van die nare, platte billen heeft. Oudevrouwenbillen.

Ik besloot de broeken allebei te kopen. Verder kocht ik een colbert en een aantal vlotte T-shirts, die me veel beter staan dan de tuttige overhemdblouses waar ik de kast mee vol heb hangen.

Ik had het allemaal uitgezocht bij hetzelfde zaakje waar ik mijn zwarte jurkje gekocht had, met de hulp van dezelfde attente winkeljuffrouw. Toen ik bij de kassa kwam begreep ik waaróm ze me zo gewillig had geholpen. Alles bij elkaar was ik zevenhonderd euro kwijt. Ik kan me niet herinneren dat ik ooit zo veel geld aan kleren uit heb gegeven, behalve aan mijn trouwjurk dan.

Even kreeg ik het benauwd van het bedrag, want ik moet eigenlijk zuinig leven, zo groot zijn mijn reserves niet. Maar toen ik bij de lunch een groot glas wijn had gedronken, zakte dat benauwde gevoel. Tegen de tijd dat ik bij de schoonheidsspecialiste in de stoel lag kon ik weer volop genieten. Op de terugweg ben ik nog impulsief bij een kapper binnengestapt. Even had ik de neiging me ook daar helemaal te laten gaan, een totaal nieuwe coupe te laten knippen. Ik heb me weten te bedwingen, me naast het bijpunten niet meer aan laten praten dan een onopvallende kleurspoeling, waardoor mijn haar er wat levendiger uitziet.

Thuis heb ik als een schoolmeisje mijn nieuwe spulletjes voor de spiegel staan passen. Ik zie er goed uit, al zeg ik het zelf. Mijn haar zat leuker dan het in jaren gedaan heeft en mijn gezicht straalde. Volgens mij ben ik de afgelopen weken ook een paar overtollige kilo's kwijtgeraakt, doordat ik veel onregelmatiger eet.

Het schoolmeisjesgevoel is er nog steeds. Ik weet zeker dat ik het straks, als ik in bed lig, niet zal kunnen laten over hem te fantaseren. Vrijdag, als ze thuiskomen, zal ik boven achter het gordijn staan wachten om zodra hij uit de auto stapt, een glimp van hem op te vangen.

*

Donderdag 25 juli, 03.00 uur

Mijn hemel, wat een ellende. Toen ik naar bed was gegaan, werd ik opeens onrustig van het feit dat ik zo veel geld had uitgegeven. In mijn hoofd telde ik de bedragen op. Zevenhonderd euro aan kleren, tachtig voor de behandeling bij de schoonheidsspecialiste, waar ik me vervolgens voor nog eens tachtig euro crèmes aan had laten smeren. Vijfentwintig voor de lunch en vijfenvijftig bij de kapper. Plus nog de tickets voor de boot. In één dag had ik er bijna duizend euro doorgejaagd.

Om mijn onrustige gevoel te verdrijven ben ik de afschriften van mijn beleggingsrekeningen gaan bekijken, ik zou toch niet kunnen slapen. Ik haalde de mappen waar Henry de financiële administratie in bewaarde uit zijn werkkamer en ging naar de keuken, waar ik alles op tafel uitstalde.

Het kostte even om erin te komen, Henry had het geld keurig gespreid belegd, waardoor het nogal onoverzichtelijk was. Met de krant erbij voor de actuele beurskoersen berekende ik de hoeveelheid geld die er in de verschillende fondsen belegd was en telde die bedragen bij elkaar op. Om me vervolgens helemaal lam te schrikken. Want alles bij elkaar bleek ik maar voor vijfendertigduizend euro aan aandelen te bezitten.

Mijn eerste reactie was dat Henry me op de een of andere manier bedonderd moest hebben. In zekere zin was dat ook wel zo: hij had me een paar jaar geleden trots gemeld dat mijn vermogen was aangegroeid tot anderhalve ton, maar toen de koersen kelderden, had hij zijn mond gehouden. En hij had geïnvesteerd in een aantal notoire dalers, waarvan zelfs ik de namen uit de krant kende. De domme zak.

Ik troostte me met de gedachte dat hij een hoge prijs betaald had voor zijn zwijgen. Want als ik geweten had dat er zo weinig van mijn geld over was, had ik hem waarschijnlijk niet gedood. Dan had ik me laten weerhouden door de gedachte dat ik het zonder hem financieel niet zou redden.

Ik moet echt heel erg gaan bezuinigen. De ellende is dat ik aan de grootste kostenpost, het huis, niets kan doen. Ik kan het zonder Henry niet verkopen, voorlopig zit ik eraan vast.

In paniek ben ik mijn contante geld gaan tellen. Van de oorspronkelijke achtduizend euro was nog iets meer dan zesduizend over.

Dat viel me mee.

Op onze betaalrekening bleek zich ongemerkt ook een aardig bedrag verzameld te hebben, omdat ik de afgelopen tijd relatief weinig heb opgenomen. Met de cash erbij had ik tienduizend euro.

Voor de auto, die vorig jaar nieuw iets van veertigduizend euro gekost had, zou ik misschien nog twintigduizend kunnen krijgen.

Na het uitzoeken en rekenen kwam ik tot de conclusie dat ik me over de korte termijn, de eerstkomende anderhalf jaar, geen zorgen hoefde te maken.

De lange termijn is een ander verhaal, daar zit ik nu over te tobben.

Op de een of andere manier zal er geld binnen moeten komen.

Moet ik gaan werken? Terwijl ik nu na al die jaren eindelijk vrij ben?

En wat zou ik dan in vredesnaam moeten gaan doen? Voordat we trouwden werkte ik in de verpleging en daar is werk genoeg, daar kom ik ondanks mijn verouderde papieren met een of andere instroomregeling wel weer tussen. Maar ik wil het niet. Ik wil niet van anderen te horen krijgen wat ik moet doen, ik wil niemand meer bedienen, dat heb ik de afgelopen twintig jaar genoeg gedaan.

Het duizelt in mijn hoofd, het ene moment denk ik dat het wel goed komt, het volgende moment slaat de paniek weer toe.

Ik zie maar één echte oplossing. Ik moet Ben zo ver zien te krijgen dat hij Carolina voor mij verlaat. Dan zijn mijn geldzorgen voorbij.

*

Donderdag 25 juli, 21.00 uur

Hoewel ik uiteindelijk minder dan vijf uur geslapen heb, voel ik me vandaag redelijk rustig, zelfs voorzichtig optimistisch. Ik heb alles opnieuw doorgerekend en op basis daarvan heb ik een voorlopig plan van aanpak gemaakt.

Om te beginnen de aandelen, die lijken de afgelopen twee jaar heel voorzichtig een beetje op te krabbelen. Ik wil proberen ze pas zo laat mogelijk te verkopen, in de hoop dat een beetje meer tijd me nog wat extra koerswinst op zal leveren.

Met de contanten die ik nog heb en het saldo op de rekening beschik ik over bijna tienduizend euro. Zodra het bericht komt dat ze op Henry's werk de geldkraan dichtdraaien, ga ik fanatiek bezuinigen op allerlei vaste lasten die met Henry te maken hebben en ik verkoop de auto. Aanvankelijk was ik van plan hem in te ruilen voor een kleiner exemplaar, nu denk ik dat ik maar beter helemaal geen auto kan nemen.

Per maand ben ik aan vaste lasten dan minder dan tweeënhalfduizend euro kwijt, terwijl we voorheen Henry's salaris vrijwel volledig opmaakten.

Als de auto inderdaad twintigduizend opbrengt, kan ik een jaar vooruit voordat ik de aandelen hoef te verkopen. Van het geld dat daarmee vrijkomt kan ik vervolgens nog ruim een jaar leven. Er is dus meer tijd dan ik dacht. Wat niet wegneemt dat er een langetermijn-oplossing moet komen.

Daarmee kom ik op het tweede deel van mijn plan.

Ben.

Mijn wens zijn hart te veroveren was er al, de financiële perikelen geven een extra dimensie aan het verhaal, waardoor er meer haast bij is. Het zou het mooiste zijn als hij bij me intrekt voordat ik aan mijn aandelen hoef te komen, het is altijd een prettig idee iets achter de hand te hebben.

Nadat ik alle mappen met bankafschriften en beleggingsgegevens had weggeborgen, ben ik voor de spiegel gaan staan. Ik heb mezelf heel kritisch bekeken. Ondanks de doorwaakte nacht zag ik er goed uit. De pondjes die ik vanzelf ben kwijtgeraakt zijn daar voor een deel debet aan. De afgelopen weken heb ik bovendien veel in de tuin gezeten, waardoor ik een lekker kleurtje heb. En natuurlijk hebben de schoonheidsspecialiste en de kapper ook hun bijdrage geleverd.

Maar de grootste verandering zit hem niet in die dingen.

Ik kijk anders uit mijn ogen, ik straal iets anders uit. Ik kan er niet precies de vinger op leggen, maar het is er onmiskenbaar. Op de een of andere manier zag ik er vóór Henry's dood uit als iemand die het leven onderging, die er geen grip op had. Nu zie ik eruit als iemand die het vormt, die eruit haalt wat erin zit, zoals een beeldhouwer de vorm die verstopt zit in een brok steen weet te bevrijden.

De vraag is alleen hoe ik kan zorgen dat mijn uitstraling de rol die ik voorlopig nog moet spelen niet ongeloofwaardig maakt. Hoe kan het dat een vrouw die rouwt omdat haar man bij haar is weggelopen er zo fit bijloopt?

Tijdens de vakantie van Carolina en Ben kon ik veel in de tuin zitten, niemand zag me daar. Zodra ze terug zijn kan dat niet meer, dat ziet er veel te ontspannen uit. Hoe verklaar ik mijn gezonde kleur?

Ik heb daar een poosje over lopen tobben, tot ik een ingeving kreeg.

Een verlaten vrouw gaat natuurlijk niet in de tuin zitten, maar ze kan er wél in werken. Ze kan eindeloos bezig zijn met allerlei klusjes zonder dat iemand dat vreemd zal vinden. Iedereen snapt dat het goed is om als je het moeilijk hebt met je vingers in de aarde te wroeten, er bestaat volgens mij zelfs zoiets als tuintherapie.

Ik ben meteen aan het werk gegaan, om hier en daar wat rommel te maken waardoor de indruk ontstaat dat ik bezig ben geweest de boel grondig onder handen te nemen. Ik sleepte lege potten uit de schuur en spoot ze met de tuinslang schoon, haalde zakken tuinaarde uit hun bergplaats en zette die tegen de keukenmuur en stak ten slotte ergens een flink stuk van het gazon af, alsof ik een border wilde verbreden. Tevreden bekeek ik mijn werk. In nog geen anderhalf uur had ik het overtuigend in scène weten te zetten.

Een mooie bijkomstigheid van het grondig bezig zijn met de tuin, bedacht ik toen ik met een glaasje wijn op het terras naar de rommel zat te kijken, is dat ik op een heel vanzelfsprekende manier allerlei gesprekjes met Ben aan zal kunnen knopen, zodra hij buiten komt. Als ik het handig speel kan ik hem zelfs mijn tuin in lokken, door zijn advies te vragen, of hulp in te roepen bij de zwaardere klussen die ik alleen zogenaamd niet kan klaren.

Morgen komen ze thuis, ik heb alleen geen idee hoe laat.

Ze zijn in de Provence geweest, in een of ander huisje. Hoe

lang zouden ze erover rijden? Hoe laat zullen ze vertrekken? Op zijn vroegst zijn ze er halverwege de middag, denk ik.

Morgenochtend zal ik boodschappen doen, dan hoef ik er de komende dagen niet op uit. Als ik doorlopend thuis ben, kan ik iedere kans benutten die zich voordoet om Ben te spreken.

*

Vrijdag 26 juli, 23.00 uur

Ze zijn er nog niet! Ik word er knettergek van. Wat is er aan de hand? Zouden ze een ongeluk gehad hebben, onderweg?

Ik ga zo maar naar bed, anders zie ik er morgen uit als een lijk, al kan ik me nauwelijks voorstellen dat ik in slaap zal kunnen komen.

*

Zaterdag 27 juli

Ze zijn er.

Vanmiddag rond een uur of vier kwamen ze aanrijden en ik heb Carolina aan het begin van de avond even over de struiken heen gesproken. Ze vertelde dat ze een nachtje in een hotelletje ergens in de Ardennen hadden gezeten. Behoorlijk asociaal om dan niet even te bellen. Bovendien heeft ze me de hele tijd dat ze weg waren niet gebeld, ik heb alleen één nietszeggende ansichtkaart van haar gekregen.

Eigenlijk is dat vreemd.

Voorzover zij weet zit ik diep in de put, is mijn hele leven overhoop gehaald, mijn zelfvertrouwen vertrapt. Ik zou heel goed zwaar depressief kunnen zijn, het is denk ik onder de gegeven omstandigheden niet ondenkbaar dat ik zelfmoord zou kunnen plegen. In zulke situaties houd je als goede buur toch een beetje de vinger aan de pols?

Ze was ook niet erg toeschietelijk, toen we elkaar vanavond spraken. Ik zei dat ik me zorgen over hen had gemaakt, maar daar ging ze bijvoorbeeld helemaal niet op in. Ze vroeg wel hoe het met me ging, maar bood me niet aan even iets te komen drinken, wat toch niet meer dan normaal zou zijn geweest.

Eerst ergerde het me een beetje. Pas later, toen ze al lang weer naar binnen was, realiseerde ik me dat het misschien juist een goed teken was, deze afstandelijkheid. Het zou heel goed kunnen betekenen dat ze me als een bedreiging ziet. En als dat het geval is, dan komt dat vast omdat Ben iets over me gezegd heeft, iets waar sympathie uit blijkt, of zelfs meer dan dat.

Het is laag van haar, dat ze zich meteen zo defensief opstelt, haar stellingen inneemt. Ze zou een beetje vertrouwen moeten hebben, zo niet in Ben dan toch in ieder geval in mij. Ze zou het me ook gewoon kunnen gunnen dat ik niet alleen van haar maar ook van Ben bij gelegenheid wat gezelschap en steun krijg.

Ik heb haar altijd een uitermate prettig iemand gevonden, attent en betrouwbaar. Nu leer ik onverwacht een andere kant van haar kennen.

*

Zondag 28 juli

Wat een intrigante! Ik ga het nog moeilijk krijgen met Carolina, als ze zo doorgaat. Op een heel geraffineerde manier schermt ze Ben voor me af.

Vanochtend vroeg belde ze om te vragen of ik wilde komen lunchen. Ik accepteerde dat natuurlijk meteen en gebruikte de tussenliggende tijd om me drie keer helemaal opnieuw aan te kleden, tot ik ervan overtuigd was dat ik er perfect uitzag.

Op de afgesproken tijd belde ik aan. Ze deed zelf open en leidde me naar het terras. Tot mijn schrik zag ik dat er maar voor twee mensen gedekt was. Ze volgde mijn blik en glimlachte.

'Ik heb Ben de stad in gestuurd voor wat boodschappen en hij zou ook nog Donner ingaan, dus we hebben het rijk alleen. Zo kunnen jij en ik ongestoord bijpraten...'

Ja hoor, dacht ik, terwijl ik iets vaags terug prevelde. Goed geregeld, slimme meid.

'Hoe is het met je?' vroeg ze, toen we eenmaal zaten.

Ze had er werk van gemaakt, dat moet ik haar nageven. Een lekkere salade met stokbrood vers uit de oven, zelfgemaakte kruidenboter. Hoe kreeg ze dat allemaal voor elkaar, de dag nadat ze terugkwam van vakantie? Was dit perfect verzorgde maal een bedekte boodschap over haar kwaliteiten als vrouw?

Ik draaide trouw mijn verhaal af, over mijn eenzaamheid, mijn twijfels, de troost die ik vond in het werken in de tuin.

'Hoe hebben jullie het gehad?' vroeg ik, toen ik door mijn tekst heen was.

'Heerlijk!' straalde Carolina.

Ze straalde echt, onuitstaanbaar.

Ze vertelde over het huisje waar ze gezeten hadden, over de prachtige omgeving, de wandelingen die ze samen hadden gemaakt. Ik nam een flinke slok van de wijn die ze voor me had ingeschonken. Pas toen ik mijn glas weer op tafel zette, viel me op dat zij géén wijn dronk. Er zat water in haar glas.

'Lekker wijntje, waarom drink je zelf niet?' vroeg ik, zodra ze even stilviel.

Ze bloosde.

De moed zonk me in de schoenen, want opeens wist ik wat ze ging zeggen.

'Ik mag niet,' fluisterde ze, terwijl ze haar hoofd dichter naar het mijne boog, 'want we krijgen een kindje! Fijn hè?'

*

Maandag 29 juli, 0.30 uur

Ik lag net in bed te tobben over de mate waarin Carolina's zwangerschap mijn plannen zal vertragen, of ze zelfs onmogelijk zal maken, toen er opeens een schokkende en tegelijkertijd bevrijdende gedachte in me opkwam. Misschien is het wel helemaal niet waar.

Hoe waarschijnlijk is het eigenlijk dat een vrouw van veertig die al jaren tevergeefs probeert in verwachting te raken opeens spontaan beet heeft?

Toen ze me zaterdag voor het eerst na haar vakantie zag, is het haar vast niet ontgaan hoe goed ik eruitzag. Ze deed toen niet voor niets zo kortaf, ze realiseerde zich natuurlijk dat het Ben ook op zou vallen.

Terwijl ze gisteren opvallend stug deed, was ze vandaag opeens poeslief.

In de tussentijd heeft ze deze list bedacht. Ze heeft Ben met een smoes de deur uitgewerkt en vervolgens een fraaie eenakter opgevoerd, met mij als publiek. In de hoop dat ze me met haar leugens bij Ben uit de buurt zou kunnen houden.

Ik heb met die man te doen!

Nadat ik de schriften gelezen had was me al wel duidelijk dat samenleven met Carolina voor hem geen pretje was. Deze actie voegt aan mijn toch al niet zo gunstige beeld van haar persoonlijkheid weer een nieuwe dimensie toe.

Ik zal nog een hele dobber aan haar hebben, denk ik. In

ieder geval hoef ik er niet op te rekenen dat ze Ben op een redelijke manier los zal laten.

*

Maandag 29 juli, 21.30 uur

Vanochtend belde Myrthe Prins op.

'Hoe is het nu met je, Linde,' begon ze met een stem waar het gebrek aan interesse vanaf droop.

'Gaat wel, dank je...' antwoordde ik lijzig.

'Fijn. Zeg, heb je nog iets van Henry vernomen?'

'Nee. Ik... ik heb vorige week nog wel geprobeerd hem te bellen, op zijn mobiel, maar ik krijg geen contact, ook niet meer met zijn voicemail...'

'Goh, wat naar voor je.'

Ja, hoor, Myrthe.

'Hum, zeg... We hebben gisteren in de managementvergadering over de situatie gesproken en daar is een voor jou vervelend besluit gevallen...'

'Wat dan, Myrthe?'

'Nou, als Henry niets van zich laat horen, dan kunnen we hem natuurlijk niet blijven betalen, dat begrijp je.'

'Oh...'

Verbluft.

'Oh... ja, natuurlijk, daar had ik nog helemaal niet aan gedacht...'

'Er is besloten dat een deel van het vakantiegeld van volgend jaar uitbetaald zal worden, het deel over de maanden juni en juli. Verder hebben we besloten dat we Henry's dertiende maand in zijn geheel over zullen maken, eind augustus. Dat laatste is om jou in deze moeilijke tijd tegemoet te komen, begrijp je? Je moet dan alleen wel een contractje tekenen dat alle verdere claims daarmee komen te vervallen.'

Alsof ze tegen een onnozel kind praat.

Het onnozele kind juichte vanbinnen, terwijl het in gedachten een zwierige handtekening zette op een denkbeeldig document.

'Dankjewel, Myrthe, ik waardeer dit enorm,' prevelde ik, 'wil je dat ook aan de anderen overbrengen?'

Het laatste kwam er met een overtuigende snik uit.

'Vanzelf,' zei Myrthe royaal, om me vervolgens opgelucht het beste toe te wensen en op te hangen.

Een dertiende maand en een zesde van het vakantiegeld. Daar had ik niet op gerekend!

Met een tevreden gevoel ben ik in de tuin gaan werken, in de hoop een glimp van de buren op te vangen, maar ik zag niemand.

*

Dinsdag 30 juli

Alweer een dag voorbij zonder dat ik op de een of andere manier met Carolina en Ben contact heb.

Dat ik Ben niet tegenkom verbaast me niet, die zal na de vakantie wel druk zijn met zijn werk.

Het is vooral vreemd dat ik Carolina helemaal niet zie. Volgens mij vermijdt ze me.

Ik ben er nog niet uit wat ik daarvan moet vinden.

*

Woensdag 31 juli

Ik heb een plannetje bedacht.

Vandaag ben ik naar een babyspeciaalzaak gegaan, waar ik een geel boxpakje gekocht heb, dat ze mooi voor me ingepakt hebben. Morgen bel ik rond koffietijd aan, zogenaamd om Carolina met het cadeautje te verrassen, waarbij ik er niet aan gedacht heb dat ze donderdagochtend haar vrijwilligerswerk heeft. Ben is als het goed is wél thuis, die heeft zijn vrije dag.

Hij zal me uiteraard koffie aanbieden.

Ik zal hem zodra we zitten feliciteren met het blijde nieuws en als dan blijkt dat het hele verhaal verzonnen is, ontstaat er een unieke kans om samen met Ben te speculeren over de beweegredenen van Carolina. Ik weet niet hoe snel het tussen ons zal gaan, maar ik durf te wedden dat er tussen hén heel binnenkort ernstige problemen zullen ontstaan, als hij haar confronteert met het feit dat ze verhalen over een denkbeeldige zwangerschap loopt rond te strooien. En als zij dan negatieve dingen over mij gaat zeggen, zal hij mij verdedigen, ik kwam immers heel attent een aardigheidje brengen?

Ik kan nauwelijks wachten!

*

Donderdag 1 augustus

Het is waar, ze is echt zwanger.

Ik kon wel door de grond zakken toen Ben mijn felicitaties zonder blikken of blozen in ontvangst nam, zo rot en wanhopig voelde ik me. Gelukkig moest hij de koffie nog zetten, zodat ik tijd had om me een beetje te hernemen.

Het is een tegenvaller, maar het maakt niet zo veel uit. Niet wezenlijk.

Het enige wat er écht toe doet, is datgene wat er tussen Ben en mij gebeurt.

'Het was onverwacht, denk ik?' vroeg ik, toen Ben klaar was met de koffie en tegenover me kwam zitten.

'Tsja...'

Hij glimlachte naar me, alsof hij zich wilde verontschuldigen.

'Fijn, toch, Carolina is in de wolken...'

'Ja, zij is blij...'

Even was het stil.

Durfde ik?

'En jij, Ben?' vroeg ik zacht.

'Ach...' Hij tikte met zijn lepeltje op de rand van zijn koffiekopje. 'Weet je, voor mannen ligt zoiets anders, denk ik. Voor mij heeft het eigenlijk nooit zo gehoeven. Eerlijk gezegd had ik me er inmiddels helemaal op ingesteld dat het er niet meer van zou komen...'

'Ik weet dat jullie er lang mee bezig zijn geweest,' zei ik, geheel naar waarheid en toch ook weer niet.

'Ja, al was dat meer voor Carolina dan voor mij.'

'Oh?'

'Ach...'

Weer die verontschuldigende glimlach.

Ongelofelijk, wat ziet die man er leuk uit als hij lacht. Zijn ogen glimmen en zijn linker mondhoek gaat omhoog, terwijl de rechter niet beweegt.

'Mannen houden nu eenmaal van hun vrijheid en kleine kinderen... tsja...'

Ik glimlachte terug.

'Misschien heb je gelijk. Over mannen. Henry was in ieder geval naar zijn vrijheid op zoek, dat is wel duidelijk. Aan de andere kant merk ik, nu hij wat langer weg is, dat het voor mij ook voordelen heeft om vrij te zijn...'

Nu was het mijn beurt om betekenisvol te glimlachen.

'Welke voordelen, Linde?' vroeg hij zacht.

Hij legde zijn hand op de mijne. Het voelde alsof ik een stroomstootje kreeg, ik werd heel warm en kon geen woord meer uitbrengen. Zijn ogen hielden de mijne vast, alles om ons heen leek te verdwijnen.

'Je bent een moedige vrouw, Linde,' zei hij toen. 'Je realiseert je denk ik nog niet half hoezeer ik daarvan doordrongen ben. Hoe ik je lef en je doorzettingsvermogen bewonder.'

Even dacht ik dat hij me zou kussen. Zijn hand lag nog op die van mij en hij bleef me aankijken.

Toen haalde hij zijn hand weg, pakte zijn koffiekopje op en nam een slok. De betovering was verbroken. Maar het was er onmiskenbaar geweest, een vonk die oversprong, een weten zonder woorden.

*

Vrijdag 2 augustus

Ik kon mijn draai niet vinden, vandaag. Er zat een rusteloosheid in me die niet weg wilde gaan, waardoor ik de klusjes waar ik aan begon half afmaakte en vervolgens achteloos aan iets anders begon, om ook dat halverwege weer te laten vallen. Ik weet niet wat ik allemaal gedaan heb, niets raakte me. De krant heb ik gelezen zonder dat er ook maar een letter tot me doordrong, ik heb een bonte was te heet gewassen, de zak uit de stofzuiger gehaald en vervolgens de kamer gezogen terwijl ik er geen nieuwe in had gedaan.

Op een gegeven moment wilde ik naar buiten gaan, in de tuin gaan werken om iets van de spanning die ik voelde af te reageren, maar toen ik de keukendeur opendeed zag ik door de struiken dat Carolina zich uitgebreid in háár tuin had geïnstalleerd. Ze had een bikini aan en ze zat demonstratief haar buik in te smeren met een of andere crème. Ze smeerde en smeerde, haar handen cirkelden over haar buik alsof ze een of ander kostbaar stuk antiek in de bijenwas zette.

Ik bekeek haar lichaam van top tot teen en zag tot mijn voldoening dat haar bovenbenen te dik waren, de huid vol deuken en bobbels. Haar bikini was eigenlijk te klein, te strak, zowel bij het broekje als bij het bovenstukje puilde er vet over de randen heen.

Zou het mens zichzelf nooit in de spiegel bekijken?

Hoewel ik me ervan bewust was dat ik er veel beter uitzag, was ik – terwijl ik naar haar stond te kijken – ontzettend jaloers.

Ze zag er zo tevreden uit, zo voldaan, zo kalm.

Hoe kon die domme vrouw zo kalm zijn?

Haar huwelijk was een farce, zoveel was me uit haar schriften wel duidelijk.

Ze was zwanger, maar dat was nog pril en er was gezien haar leeftijd een forse kans dat het op de een of andere manier mis zou gaan. En zelfs al zou de zwangerschap zonder problemen verlopen, dan nog was er een reële mogelijkheid dat het kind niet in orde zou zijn. Bovendien, ook als het kind helemaal puntgaaf was zou de situatie verre van ideaal zijn, één eenzaam kindje bij twee ouders van boven de veertig met een rafelige relatie.

Hoe haalde ze het in haar hoofd er zo tevreden bij te liggen?

Even overwoog ik om óók in de tuin te gaan liggen, in mijn badpak, dat niet aan alle kanten in mijn vlees sneed. Ik zou mijn slankere benen even demonstratief in kunnen smeren als zij met haar buik had gedaan, ik zou precies in haar blikveld kunnen gaan zitten, terwijl ik dat deed. Dan zou het denk ik snel gedaan zijn met haar zelfingenomenheid.

Ik heb het niet gedaan, ik ben niet eens in de tuin gaan werken, want ik wist dat ik het niet op zou kunnen brengen om normaal tegen haar te doen.

Daarbij, hoe zorgelozer zij is, des te beter is het voor mij. Voor mij en Ben.

Dat soort verstandige dingen stond ik te bedenken, in mijn keuken, met mijn hand op de deurkruk. Jammer genoeg hadden al die prachtige gedachten geen enkel effect op mijn gevoel.

*

Zaterdag 3 augustus

Wat is het een serpent.

Ik kan er niet bij dat ik dat eerder niet in de gaten heb gehad. Toen Henry er nog was had ik juist altijd het gevoel dat Carolina een heel lieve vrouw was, met wie ik onder andere omstandigheden graag bevriend was geweest. Ik kon in die tijd niet met haar praten, niet echt. Met niemand eigenlijk, want mijn wereld werd bepaald door datgene wat er tussen mij en Henry gebeurde en daarover kon ik alleen maar zwijgen. Wat zou ik moeten zeggen, als mensen mijn verhaal hoorden en vroegen waarom ik bij hem bleef? Daarom was ik alleen in die tijd, wat er aan contacten was ging niet zo diep.

Maar jeetje, zelfs al was mijn contact met Carolina oppervlakkig, dan nog had ik bepaalde dingen kunnen merken! De manier waarop ze heel uitgekookt, heel subtiel haar eigen belangen op de voorgrond stelt. De mate waarin ze als puntje bij paaltje komt bereid is over die van anderen heen te walsen.

Ze deed het kennelijk zo subtiel dat het mij van een afstandje volstrekt niet opviel.

Vanochtend ging ik met de fiets boodschappen doen en net toen ik over het paadje achter hun tuin reed, zag ik Ben met een boodschappentas de schuur ingaan. Mijn hart maakte een sprongetje en ik remde af. In gedachten zag ik ons samen naar het centrum fietsen, gemoedelijk pratend. Op het moment dat één van ons af moest slaan, zouden we ergens op een straathoek stil blijven staan, om verder te praten. Misschien zouden we een terrasje pakken, ergens op een zonnig plekje...

Ik zag het al helemaal voor me, terwijl ik bij de ingang van hun tuin op hem stond te wachten.

'Hallo, Ben, waar ga je heen?' vroeg ik toen hij uit de schuur tevoorschijn kwam.

Voordat hij antwoord kon geven verscheen Carolina uit het niets.

'Lieverd, kun je nog even terugkomen, ik moet je iets laten zien!' zei ze. 'Hé, Linde, hallo. Alles goed?' zei ze vervolgens met een vage knik in mijn richting.

Ja, hoor, dacht ik, doe maar alsof je me nu pas ziet.

Ik ben benieuwd wat ze Ben heeft laten zien, wat ze in de gauwigheid bedacht heeft als excuus om hem terug te roepen.

'Dag Linde,' zei hij nog.

Hij keek me even aan, voordat hij zijn fiets tegen de schuur zette en achter Carolina aan liep.

'Dag Ben,' fluisterde ik, zo zacht dat hij het waarschijnlijk niet eens hoorde.

Hoe lang zal het duren, voordat ik de kans krijg hem weer te spreken?

*

Zondag 4 augustus

'Ik ga deze week op woensdag naar het Sophia in plaats van op donderdag, dat komt beter uit omdat er twee andere vrijwilligers die normaal gesproken op woensdag komen, met vakantie zijn.'

Ik zat op mijn terras met een boek, waar ik me niet op kon concentreren, omdat ik voortdurend gespitst was op datgene wat er aan de andere kant van het muurtje gebeurde. Carolina was net gaan zitten, Ben zat er al langer. Althans, voordat Carolina naar buiten kwam hoorde ik iemand worstelen met de weerbarstige bladzijden van een krant.

Carolina had overdreven gezucht toen ze ging zitten, alsof

ze een buik van negen maanden met zich mee torste. In gedachten zag ik haar een hand beschermend op haar buik leggen, terwijl ze met de andere de stoel vasthield, bang om met haar kostbare vrachtje te vallen.

'Mmm,' reageerde Ben, die natuurlijk met zijn krant bezig was en helemaal geen zin had in geneuzel over vrijwilligers.

'Dat betekent dat ik thuis ben als jij vrij bent, fijn hè?'

'Mmm, ja...' klonk het verstrooid.

Mijn eigen reactie was heel wat heftiger.

Donderdag zou ze thuis zijn. De dag waar ik in gedachten naar toeleefde, waar ik plannen voor maakte, waar al mijn hoop op gevestigd was.

'Ik dacht, misschien kunnen we samen vast eens naar babykamers gaan kijken?' vervolgde Carolina onverstoorbaar.

Ik kon er niet meer tegen en stond op om naar binnen te gaan. Onbedoeld schoof ik mijn stoel hoorbaar achteruit. Ik bleef stokstijf stilstaan. Op het andere terras was het ook stil. Opvallend stil.

Ze wist vast dat ik er zat. Ze had het expres dáár verteld, om mij te laten weten dat zij de baas was, dat ze er alles aan zou doen om te voorkomen dat ik de kans krijg om op een normale manier met Ben om te gaan.

Ze had haar vrijwilligerswerk ongetwijfeld zélf verzet, dat had met vakanties van andere dames helemaal niets te maken.

Gek van machteloze woede ben ik binnen gaan schoonmaken, ik duwde de stofzuiger zo wild de kamer rond dat die tegen het bijzettafeltje stootte, waardoor het lijstje met onze trouwfoto ervanaf viel, het glas in scherven.

Vanmiddag zat ik achter in de tuin een beetje te dommelen, want ik had vannacht niet goed geslapen en was moe. Ergens in een schemergebied tussen waken en slapen werd ik overvallen door een beeld van Carolina. Ik zag haar gezicht, dat ontspannen was, de blik in haar ogen zelfverzekerd. Twee handen pakten haar schouders vast, masseerden die. Carolina glimlachte en liet haar hoofd naar achteren hangen, haar ogen gesloten. De handen maakten strelende bewegingen en Carolina lachte hardop, een triomfantelijke lach, de lach van een vrouw die weet dat ze gewonnen heeft.

Terwijl ze lachte, haar hoofd in haar nek, bewogen de handen langzaam naar elkaar toe. Ze streelden aan weerszijden de spieren die van de schouders schuin naar boven liepen, maakten ze met langzame, draaiende bewegingen los.

Toen gleden de duimen naar de voorkant van haar hals. Op een van de duimen, de linker, zat een moedervlek, een kleine donkerbruine. Precies zo een als er op mijn duim zit.

De handen begonnen te knijpen.

Carolina's lachen verstomde. Ze maakte een vreemd geluid en greep naar de handen die haar hals omklemden, probeerde ze los te trekken, wat niet lukte. Haar gezicht werd rood en het begon op te zetten. Ze richtte haar blik op mij, maar het waren niet háár ogen die me aankeken. Het waren de ogen van mijn vader.

Vreemd genoeg voelde ik me na die droom rustiger dan ik me in dagen gevoeld had, alsof het een teken was dat alles goed zou komen. In de verte hoorde ik Carolina praten, ze was aan het telefoneren en liep ondertussen door haar tuin. Een irritante, asociale gewoonte. Er stond gisteren nog een uitgebreid stuk in de krant over hoe hinderlijk het is als je gedwongen wordt naar andermans stupide telefoongesprekken te luisteren, maar Carolina wandelde gewoon met haar telefoon door de tuin, alsof ze alleen op de wereld was.

Van achter de struiken hoorde ik haar lachen. In gedachten zag ik hoe ze haar hoofd in haar nek gooide terwijl ze hard en overdreven schaterde.

Wacht maar, Carolina, dacht ik. Wie het laatst lacht, lacht nog altijd het best.

*

Maandag 5 augustus

'Hai, Carolina, hoe is het?'

'Linde, wat leuk dat je belt. Goed, heel goed.'

'Geen last van misselijkheid of andere kwalen?'

'Een beetje, maar als ik zorg dat ik 's ochtends eerst wat eet voordat ik opsta gaat het wel. Ben brengt me altijd een beschuitje, dat werkt uitstekend!'

Natuurlijk.

'Fijn hoor, dat je je goed voelt. Hé, ik zit met een probleem waar ik niet helemaal uit kom...'

'Vertel...'

Even klonk haar stem vriendelijk, als vanouds. Maar als het echt was, als ze werkelijk geïnteresseerd was in mijn problemen, zou ze me toch even op de koffie kunnen vragen, in plaats van het telefonisch af te handelen?

'Nou, ik moet bezuinigen, Henry's salaris komt natuurlijk niet meer binnen en daarom moet ik de broekriem aanhalen...'

'Och, ja...'

Ik hoorde haar afstandelijker worden.

Zo reageren mensen altijd, denk ik, als het ingewikkelder wordt. Zeker als het over geld gaat.

'Dus wil ik de auto gaan verkopen, dat ding kost klauwenvol geld terwijl ik hem eigenlijk niet nodig heb. Het probleem is dat ik erg opzie tegen de onderhandeling met de garage, ik heb er geen verstand van en ben bang dat ik me af laat zetten. Nou vroeg ik me af of jij misschien aan Ben zou willen vragen of hij met me mee wil gaan, zaterdag bijvoorbeeld?'

'Ja, nou, we zijn natuurlijk druk met de voorbereidingen voor de baby...'

Ja, hoor. Mevrouw is net vier of vijf weken over tijd en ze heeft nu al haar handen vol aan de baby.

'Ik weet het, jullie zijn met heel andere dingen bezig. Ik zou het ook niet vragen als ik een alternatief zag, maar mijn zwager zit in het buitenland en zoals je weet heb ik verder geen familie en ik kan me niet permitteren om te wachten tot hij terugkomt, want er komt gewoon geen geld meer binnen en...'

Mijn stem zakte weg, ik zou er zelf bijna medelijden van krijgen, zo wanhopig klonk ik.

'Ik zal het hem vragen, Linde. Ik laat het je weten, goed?'

'Je bent een schat! Kom anders morgenochtend koffiedrinken, dan hoor ik van je wat Ben gezegd heeft en dan kun je me meteen ook bijpraten over de baby...'

Spijkers met koppen. Ik wilde haar geen centimeter ruimte geven waarin ze zich weer los zou kunnen wurmen.

'Goed, Linde,' klonk het gelaten, 'gezellig.'

Tevreden hing ik op.

Zou ze nu begrepen hebben dat er met mij niet te sollen valt?

*

Dinsdag 6 augustus

'Ben wil je natuurlijk helpen, Linde,' begon Carolina, zodra ze op mijn terras was neergestreken. Ze klonk heel vriendelijk, als ik niet beter wist zou ik er zonder meer ingestonken zijn.

'Fijn, joh, bedankt dat je het voor me gevraagd hebt. Wat is voor hem een goed tijdstip?'

'Hij stelde donderdagochtend voor.'

Vergiste ik me, of keek ze zuinig?

‘Hij begreep dat er haast bij was en hij is op donderdag vrij, zoals je weet. Als jullie vroeg kunnen vertrekken zou dat prettig zijn, want we zouden die dag eigenlijk samen de stad in...’

‘Natuurlijk, ik pas me graag aan. Laat Ben maar een tijd prikken, die garage gaat volgens mij heel vroeg open. Ik hoor het wel!’

Vanbinnen juichte ik. Gezien haar opmerking over de plannen om te gaan winkelen klonk het alsof het idee om donderdag te gaan van Ben kwam en het zou me niet verbazen als zij zich ertegen had verzet, kennelijk zonder succes.

Misschien was Ben net als ik teleurgesteld geweest, toen Carolina aankondigde dat ze deze donderdag niet bij haar moeder zou zijn. Was dit zijn manier om alsnog iets van onze gezamenlijke tijd terug te veroveren?

Terwijl ik met Carolina praatte over haar zwangerschapskwaaltjes dacht ik na over wat ik donderdag aan zou trekken. Ik nam me voor al mijn nieuwe kleren nog eens zorgvuldig uit te proberen voor de spiegel, goed te kijken wat me het meest flatteerde. Ik kon nauwelijks wachten tot ze weg zou gaan, maar alsof ze dat aanvoelde bleef ze eindeloos zitten. Ik was op een gegeven moment zelfs bang dat ik een lunch voor haar klaar zou moeten maken. Na drie koppen koffie en evenveel koekjes stapte ze eindelijk op.

Meteen toen ze weg was ben ik al mijn nieuwe kleren gaan passen. Uiteindelijk heb ik het zalmkleurige nieuwe T-shirt uitgekozen, met een beige broek. Nadat ik ze gestreken had heb ik de kleren netjes uitgehangen.

Toen ben ik in de tuin gaan werken, om mijn gezonde kleur op peil te houden. En natuurlijk ook omdat ik op die manier Ben aan het eind van de middag misschien even zou kunnen zien. Helaas gebeurde dat niet.

*

Woensdag 7 augustus

Laat ik het maar gewoon opschrijven, de gedachte zit eigenlijk al dagen in mijn hoofd.

Kan ik het maken om Carolina – als het echt nodig is – óók te laten verdwijnen?

Stel dat Ben wat met me wil, maar dan als puntje bij paaltje is gekomen toch weer voor Carolina kiest?

Haar zwangerschap komt wat dat betreft erg slecht uit. Zonder die complicatie zou ik er wel op durven gokken dat het me lukt hem bij haar weg te krijgen, maar nu? Als we een verhouding krijgen en hij blijft uiteindelijk bij haar, heb ik een groot probleem. Over twee jaar is mijn geld op, terwijl ik het huis misschien nog steeds niet kan verkopen omdat het ook op naam van Henry staat. Als ik de hypotheek niet meer kan betalen, zal ik failliet gaan.

Natuurlijk kan ik gaan werken, wat moet dat moet. Alleen zal ik niet gauw voldoende verdienen om dit huis te kunnen betalen. Dan zal ik niet alleen moeten werken, maar ook nog heel zuinig moeten leven en zelfs dan lukt het misschien nog niet. Wie weet moet ik nog kamers gaan verhuren om rond te komen. Van de vrijheid waar het allemaal om begonnen is, blijft dan bitter weinig over.

Het alternatief is dat Carolina verdwijnt.

Liever niet natuurlijk, alleen als het echt niet anders kan, als Ben de stap om bij haar weg te gaan niet durft te zetten.

Het probleem is alleen dat Ben misschien argwaan krijgt als er plotseling iets met Carolina gebeurt, net nadat hij mij gezegd heeft dat hij voor háár kiest. Ik zal dus in een eerder stadium in moeten grijpen.

Het is denk ik het beste om het te doen op het moment dat ik zeker weet dat het wat wordt tussen ons en daarbij ook het gevoel heb dat Ben écht de moeite waard is.

Dan is er natuurlijk een kans dat ik het voor niets doe, omdat Ben tóch wel voor mij gekozen zou hebben. Dat is jammer, ik zal dan nooit weten dat hij die keuze gemaakt zou hebben.

En voor Carolina en haar kind is het natuurlijk ook jammer. Alhoewel. Over de vraag of het voor het kind erg is, valt nog te twisten. Ik heb me al eerder afgevraagd wat het moet worden met dat kind, het heeft zo veel tegen. Een vrouw die op Carolina's leeftijd nog moeder wordt doet dat uit egoïstische motieven. Het kind heeft dus niet alleen een oude, maar ook nog eens een egoïstische moeder. Niet echt een recept voor een gelukkige jeugd, lijkt me.

*

Donderdag 8 augustus

Wat een dag, wat een heerlijke dag. De auto, waar het allemaal zogenaamd om begonnen is, staat nog in de garage, we hebben hem niet verkocht. Dat was een idee van Ben, om ons een alibi te geven er binnenkort nog eens samen op uit te trekken.

Vanochtend vertrokken we om half negen, dat had Carolina gisteravond gearrangeerd. Hoewel ik wist dat ik er piekfijn uitzag, was ik ongelofelijk zenuwachtig toen hij op de afgesproken tijd aanbelde.

'Ben, wat fijn dat je me wilt helpen,' begon ik stuntelig.

Hij glimlachte naar me, ik geloof dat hij ook knipoogde,

maar dat weet ik niet zeker.

'Het is geen straf om een elegante vrouw te helpen,' zei hij terwijl hij me aankeek.

Ik voelde mijn wangen rood worden en griste om dat te verbergen vlug mijn sleutels van het tafeltje in de hal.

'Kom, laten we gaan.'

Ik liep voor hem uit naar de garage.

'Het is een mooie auto, hij ziet er goed uit.'

Ben streek met een hand over de glanzende motorkap.

'Heb je al bedacht waar je hem wilt verkopen?'

'Niet echt, het leek me goed om eerst de garage waar we hem gekocht hebben te proberen...'

'Prima, waar zit die?'

'Ergens op Zuid, ik heb het opgezocht op de kaart.'

'Laat eens kijken?'

We zaten inmiddels in de auto, ik in de chauffeursstoel, hij ernaast.

'De kaart zit daarin.' Ik wees naar het dashboardkastje.

'Pak maar,' glimlachte Ben.

Ik leunde over hem heen, maakte onhandig het kastje open en rommelde erin tot ik de kaart te pakken had. Mijn arm kwam tegen zijn benen aan, ik voelde zijn warmte.

'Kijk,' zei ik, terwijl ik de kaart openvouwde. Ik wees met mijn vinger de plaats aan.

'Wacht, de kaart beweegt, ik zie het niet goed.'

Ben pakte mijn trillende hand vast.

'Dat is beter, vind je niet?' vroeg hij.

'Ja.'

Meer wist ik niet uit te brengen.

Terwijl we door de stad reden zweeg Ben, wat me erg zenuwachtig maakte. Ik begon me af te vragen of ik het me niet allemaal verbeeld had: de glimlach, de knipoog, de geladen opmerkingen. Tegen de tijd dat we bij de garage aankwamen was ik helemaal op.

'Laat mij het woord doen, goed?' zei Ben toen we uit de auto stapten.

Ik vond het best, ik had op dat moment nog geen twee zinnen achter elkaar kunnen uitbrengen, laat staan een onderhandeling voeren.

We stapten de showroom binnen, waar het heerlijk koel was. Binnen een halve minuut stond er een verkoper naast ons, keurig in het pak.

'Wat kan ik voor u doen?'

Ben pakte de man in. Gewelding om te zien hoe hij het deed. Hij wist de suggestie te wekken dat we – als er een redelijk bedrag voor de auto werd geboden – in een later stadium terug zouden komen om een gloednieuw exemplaar aan te schaffen, wat op dit moment niet opportuun was omdat we op het punt stonden een wereldreis te maken. Hij zei er meteen bij dat we op verschillende plekken informeerden, omdat we wisten dat datgene wat er geboden zou worden nogal uiteen kon lopen. De verkoper kwam uiteindelijk uit op een bedrag van tweeëntwintigduizend euro, ruim boven de cataloguswaarde. Hij wilde het niet zwart op wit zetten, maar gaf ons wel zijn kaartje zodat we naar hem zouden kunnen vragen als we weer terugkwamen.

'Dit is een prima bod, Linde,' zei Ben, toen we terugliepen naar de auto. 'We kunnen als je wilt nog op allerlei andere plekken langsgaan, alleen zal dat denk ik niet zo veel opleveren.'

Ik bleef naast de auto staan, de sleutel in mijn handen.

'Zullen we hem dan maar gewoon meteen verkopen?'

'Welnee, dat is geen goede tactiek. Ik bel die man morgen, met een verhaal over een net iets hogere prijs die een andere garage biedt en een kulverhaal dat we vanwege de goede ervaringen die we er hebben toch liever met deze garage zakendoen. Kijken wat hij dan doet.'

'Oké,' zei ik aarzelend, 'maar is dat voor jou niet te veel

moeite? Dan moeten we hier ook nog een keer terugkomen...'

'Dat we nog een keer samen op pad moeten is voor mij geen straf, Linde.'

Hij glimlachte naar me, over het dak van de auto heen. Mijn hoofd tolde, mijn knieën trilden.

'Ik heb trouwens nog een voorstel.'

'En dat is?'

'Jij laat mij nu rijden en in de tijd die we aan het bezoeken van allerlei andere garages kwijt zouden zijn geweest, laat ik je mijn favoriete cafeetje in de Biesbos zien.'

'Moest je niet nog met Carolina de stad in?'

'Ja, maar dat kan vanmiddag ook. Ze is 's ochtends toch vaak niet zo lekker, ze ligt sinds kort iedere ochtend uren in bad, voordat ze zich een beetje mens voelt. Gisteren heeft ze haar vrijwilligerswerk nog afgezegd omdat ze zich zo beroerd voelde, dus ik kan me niet voorstellen dat ze het vandaag opeens op zou kunnen brengen om 's ochtends uren door de stad te gaan sjouwen.'

'Wat rot voor haar...' prevelde ik.

Ben keek me geamuseerd aan.

'Vind je? Ik vind het nogal meevallen. Er zijn ergere dingen dan in bad liggen met een goed boek.'

Hij had de sleutels inmiddels uit mijn hand gepakt en was achter het stuur gaan zitten.

'Er zijn trouwens ook leukere dingen...'

'Zoals?' vroeg ik aarzelend.

Hij startte de motor en keek opzij terwijl hij wegreed.

'Zoals een clandestien uitstapje naar je favoriete café.'

Het was geweldig. Er gebeurde niet echt iets, geen wilde vrijpartijen op de achterbank van de auto, geen omhelzingen tussen het riet, geen hartstochtelijke kus op de parkeerplaats. We dronken gewoon samen uitgebreid koffie, op een terrasje aan het water. Hij wees verschillende soorten zeilboten aan en vertelde dat hij er vroeger zelf ook een had gehad. Het was net alsof we twee vrijgezellen waren, die voor het eerst met elkaar op pad gingen en elkaar voorzichtig leerden kennen.

Hoewel er niet echt iets is gebeurd, zijn er tussen de bedrijven door toch een paar mijlpalen gepasseerd, vanochtend.

Ben heeft met zoveel woorden gezegd dat hij het leuk vond om tijd met me door te brengen. Hij liet doorschemeren dat hij zich aan Carolina en haar zwangerschapskwalen stoorde. En hij heeft gezegd dat hij geen haast wilde maken met de verkoop van de auto omdat hij me snel weer wilde zien.

Tegen de tijd dat we mijn garage binnenreden voelde ik me volledig ontspannen, op mijn gemak bij hem.

'Tot zaterdag,' zei hij, terwijl hij de autosleutels speels naar me toe gooide.

'Dan gaan we zakendoen,' antwoordde ik, doelend op de auto.

Hij keek me vragend aan.

'Geen woorden maar daden, bedoel je?'

Eén tel keek hij me aan, een twinkeling in zijn ogen. Het volgende moment was hij weg.

*

Vrijdag 9 augustus

Ik kon vandaag mijn draai niet vinden, ik bleef me de hele tijd afvragen of ik er te veel in las, in Bens gedrag van gisteren. Vervolgens verklaarde ik mezelf voor gek dat ik er zelfs maar even aan twijfelde, om daarna toch weer te gaan piekeren.

Was het maar vast morgen!

Vanmiddag ben ik bij gebrek aan beter in de tuin gaan werken. De stress verminderde er niet echt door, maar ik was buiten en in beweging en dat was beter dan binnen tobben.

Nu zit ik met een glaasje wijn in de tuin, half hopend dat ik iets op zal vangen van een gesprek tussen Ben en Carolina. Maar ze zijn er niet, of ze zijn binnen.

*

Zaterdag 10 augustus

Het is gebeurd! Er is nu officieel iets tussen Ben en mij! Volgende week dinsdag zien we elkaar weer, dan komt hij 's avonds bij mij, Carolina gaat die dag op bezoek bij een vriendin in Utrecht, ze vertrekt 's middags. Ben komt meteen uit zijn werk hierheen, dan eten we samen en daarna hebben we nog de hele avond.

Mijn hoofd duizelt van de dingen die ik voor die tijd wil doen, ik wil dat alles die avond perfect is, als hij voor de eerste keer bij mij is. Voor het eerst zijn we dan samen in het huis dat hopelijk over een jaar ons thuis zal zijn.

Maar eerst vandaag.

Ben stond hier om half negen voor de deur, net als donderdag. Hij had gisteren met de garage gebeld en afgesproken dat we langs zouden komen om verder te onderhandelen over de prijs. Hij belde me er gisteren overdag over en zei dat hij optimistisch was, volgens hem moest het wel lukken er vijfhonderd euro meer van te maken dan ze oorspronkelijk hadden geboden.

'Waar heb je dat geleerd, Ben, zo onderhandelen?' vroeg ik, toen we samen in de auto zaten.

'Dat zit in mijn aard, Linde, ik ben een gevaarlijke ritselaar...' zei hij, 'ik zal maar meteen nog iets bekennen wat ik geritseld heb...'

Mijn hart sloeg over.

'Wat dan?'

'De afspraak is pas om half elf.'

'Half elf? Wat gaan we dan eerst doen?'

Hij antwoordde niet, grijnsde alleen. Een prachtige, jongensachtige grijns. Ik keek naar zijn donkerblonde krullen, naar de kuiltjes in zijn wangen, naar zijn handen op het stuur.

Toen liet ik me achterover zakken in de stoel, mijn ogen dicht. Ik wist niet wat er ging gebeuren, terwijl ik de afgelopen weken voortdurend overal de regie over had gehad. De kleinste details had ik krampachtig in de hand gehouden en nu wist ik niet wat hij van plan was, ik wist niet eens waar we naartoe gingen en ik vond het heerlijk. Ik voelde me ontspannen, loom bijna. Het klinkt bizar, maar het scheelde niet veel of ik was in slaap gevallen, naast Ben.

'Blijf je er wel een beetje bij?' vroeg hij, terwijl hij zijn hand op mijn been legde.

Ik was in een klap wakker.

'Ja,' zei ik onhandig en ging weer rechtop zitten.

Ik wist niets meer te zeggen, niets speels, niets spannends.

We reden ondertussen door de stad. Ik wilde vragen waar we naartoe gingen, maar kon geen gevatte formulering bedenken.

We gingen onder de spoorlijn door en vervolgens over de Coolsingel, waar de eerste winkelende mensen al over straat liepen. Aan het eind draaide Ben rechtsaf, het Vaste Land op. Vervolgens ging hij linksaf, en zocht zijn weg voorbij de Veerhaven, waar hij de auto op de Parkkade parkeerde. Hij deed de motor uit en draaide zich naar me toe.

'Zo,' zei hij, en keek me aan. 'Zo Linde, daar zijn we dan.

Een mooie plek om afscheid te nemen van je auto, vind je niet?'

Ik keek door de voorruit naar de rivier, die glinsterde in de ochtendzon. Een watertaxi baande zich beukend op de golven een weg naar Hotel New York, dat aan de overkant van het water geduldig lag te wachten. Een grote, grauwe meeuw streek vlak bij de auto neer op een paaltje.

Ik keerde me weer naar Ben. Hij glimlachte. Legde zijn rechterhand tegen mijn wang en streelde met zijn duim langs mijn lippen.

'Linde...' zei hij zacht.

Ik legde mijn hand op de zijne, drukte zijn vingers tegen mijn gezicht aan, ik wilde dat hij me nooit meer los zou laten. Hij mocht alles met me doen, ter plekke, in de auto, als hij me maar vast zou blijven houden, zijn huid tegen de mijne.

Langzaam bewoog hij zijn gezicht naar me toe. Ik keek hem aan, keek in zijn onpeilbare, grijze ogen die steeds dichterbij kwamen, totdat ik het gevoel had dat ik niet meer wist waar ik zelf ophield en waar hij begon. Ik hoorde een vreemd geluid en realiseerde me dat ik het zelf was, ik snikte. Van blijdschap of ontroering of misschien van angst.

'Ben,' wilde ik fluisteren, maar zijn lippen bedekten mijn mond.

Zijn hand schoof in mijn nek en daarmee trok hij mijn hoofd naar zich toe, het was alsof hij ons wilde laten versmelten, zo hard drukte hij me tegen zich aan.

Een eeuwigheid later maakte hij zich los. Hij glimlachte de lach die me inmiddels al zo vertrouwd was.

'Als we niet uitkijken, komen we nog te laat.'

Ik keek naar mijn horloge.

Onvoorstelbaar, het was al over tienen.

Ben startte de auto en reed weg.

'Ben je dinsdagavond vrij?' vroeg hij terloops.

'Ja, hoezo?'

'Dan kom ik graag bij je langs, als je dat tenminste wilt.'

'Ja natuurlijk, maar hoe...'

'Carolina gaat op pad, naar een vriendin van haar die in Utrecht woont. Ze gaan 's middags samen winkelen en daarna blijft ze bij haar eten. Als het meezit blijft ze zelfs slapen. Heb jij een telefoon waarop je kunt zien wie er belt?'

'Nee, ik...'

'Het zou handig zijn als je die aanschafte, voor dinsdag en trouwens ook voor daarna...'

Hij keek even opzij. Ik smolt.

'Dan kunnen we mijn telefoon doorschakelen naar jouw huis en als er dan vanaf Carolina's gsm wordt gebeld, of vanaf het nummer van die vriendin, kan ik gewoon opnemen alsof ik thuis ben.'

Ik wist niet wat ik hoorde, hij had het al helemaal uitgedacht. Wat betekende dat hij er in gedachten net zo mee bezig was als ik, met de momenten dat wij elkaar konden treffen. Hij was alleen veel verder dan ik.

'Wil je dat ik voor je kook?' vroeg ik.

'Dat wil ik ook...'

Weer die grijns.

'En zorg ook voor een lekker ontbijtje, als je wilt. Als Carolina inderdaad in Utrecht blijft slapen, kan ik de hele nacht bij je blijven...'

Zo gemakkelijk is het dus, dacht ik, terwijl we door de Maastunnel reden. Zo simpel kan het zijn als twee mensen elkaar aanvoelen, als het klikt, als het klopt.

Het was goed dat Ben de onderhandeling bij de garage helemaal op zich nam. Ik was er ogenschijnlijk bij, maar ik was in gedachten heel ergens anders. Ik keek naar hem, naar de manier waarop de spieren rondom zijn kaak bewogen als hij sprak, hoe hij zijn handen gebruikte om zijn woorden kracht bij te zetten. Als Ben de auto voor een appel en een ei verpatst had, was het me niet opgevallen.

Toen we even later samen de garage uit liepen, vroeg hij: 'Tevreden, Linde?'

'Zeer,' zei ik en begon meteen hevig te blozen omdat ik me realiseerde dat hij het over de auto had, en niet over ons.

Hij gooide zijn hoofd in zijn nek en lachte zo aanstekelijk dat ik ondanks mijn schaamte mee moest lachen.

'Kom,' zei hij, toen hij een beetje bedaard was.

Hij pakte mijn hand en kneep er zachtjes in.

'Nu komt de volgende truc.'

Hij pakte zijn mobiele telefoon uit zijn zak en toetste een nummer in.

'Hai, Carolina, lieverd, hoe is het met je?'

Er kwam een antwoord dat ik niet kon verstaan.

'Fijn schat, heel fijn. Hé, ik belde even om te vragen of je ons misschien op kunt komen halen, want we hebben de auto verkocht, en we staan hier kilometers van de dichtstbijzijnde bushalte.'

Een lange stilte, die ongetwijfeld aan de andere kant van de lijn door Carolina werd opgevuld.

'Je bent een schat! We zitten op Zuid, weet je wel, op dat industrieterrein. We gaan wel even bij de McDonald's een bakje koffie drinken, dan kun je ons gemakkelijk vinden!'

Terwijl hij naar Carolina luisterde gaf Ben me een knipoog.

'Ik ook van jou! Tot zo!'

Hij liet de telefoon in zijn zak glijden en keek me aan.

'Zo doe je dat, Linde, zo neem je argwaan weg.'

'Indrukwekkend!'

'Ach,' weer die glimlach, 'ik vermoed dat jij de zaken ook aardig naar je hand weet te zetten, als je op dreef bent...'

Hij kneep een laatste keer in mijn hand. Tegen de tijd dat Carolina arriveerde, zaten we kuis tegenover elkaar, twee lege plastic bekertjes tussen ons in.

'Ga jij maar naast Carolina zitten,' zei Ben, terwijl hij het portier voor me opendeed.

Zijn toon suggereerde dat hij volledig met me uitgepraat was.

'Hoe voel je je nu, lieverd,' vroeg hij vervolgens vanaf de achterbank.

'Beter, Ben, de ochtenddip is voorbij.'

Ze glimlachte zoetsappig naar hem via de achteruitkijkspiegel.

'Ochtenddip?' informeerde ik, zogenaamd belangstellend.

'Het is iets vreselijks, Linde,' begon Carolina, 'ik ben 's ochtends zó beroerd! Het enige wat helpt is een lekker warm bad, daar heb ik vorige week in een zwangerschapstijdschrift iets over gelezen. Ik doe het sindsdien vrijwel dagelijks, om de moeilijkste uurtjes door te komen!'

'Jeetje,' mompelde ik, iets anders kon ik zo gauw niet bedenken.

'Het helpt goed, erna voel ik me altijd beter. Ik doe ook niks, als ik in bad ben, ik concentreer me op mijn lichaam, op het kindje in mijn buik. Zo kom ik echt tot rust.'

In gedachten zag ik Ben achter me zijn ogen naar boven wegrollen. Ik kon geen zinnig antwoord bedenken op haar relaas en hoopte dat ze zelf verder zou praten. Maar het was Ben die vanaf de achterbank de stilte vulde.

'Je doet wél iets, schat, je luistert naar muziek!'

Hij keerde zijn hoofd in mijn richting.

'Ze heeft de radio naar de badkamer versleept. Eigenlijk vind ik het onverstandig...'

'Hoezo? Het is toch juist goed dat ze zich ontspant?' vroeg ik.

'Nou hoor je het ook eens van een ander, Ben, mannen zien ook overal problemen in.' Carolina boog samenzweerderig haar hoofd naar me toe.

'Hij is bang dat ik mezelf met dat apparaat zal elektrocuteren. Alsof ik er met natte handen aan ga zitten!'

Na deze opmerking bleef Carolina stil. Ik zweeg ook, ik zat me te verbazen over datgene wat Ben had weten te ensceneren. Met een ogenschijnlijk onschuldige opmerking had hij een situatie gecreëerd waarin Carolina en ik samen stelling namen tegenover hem.

Briljant.

*

Zondag 11 augustus

Aan de ene kant kan ik nauwelijks wachten tot het zover is, aan de andere kant heb ik het gevoel dat ik tijd tekortkom voor alle voorbereidingen die ik wil treffen, ik wil dat dinsdagavond alles perfect is.

Vandaag heb ik in kookboeken zitten zoeken naar het ideale diner. Het moet smaakvol zijn, maar niet te zwaar op de maag liggen. Ik heb geen idee wat Ben lekker vindt, toen ik bij hen was at hij met smaak van de lasagne, dat is het enige houvast dat ik heb.

Uiteindelijk heb ik besloten vooraf gevulde olijven te serveren en dan als hoofdgerecht pasta met een roomsausje en daarbij een salade.

Over de wijn heb ik ook lopen tobben, daar zorgde Henry vroeger altijd voor. Ik ga morgen naar een delicatessenzaak in het centrum, daar laat ik me wel uitgebreid adviseren. Morgenavond kook ik de hele maaltijd op proef, dan kom ik dinsdag hopelijk niet voor verrassingen te staan.

Kleding is geen probleem, natuurlijk doe ik het nieuwe jurkje aan. Ik had nooit gedacht dat er zo snel een gelegenheid zou zijn om het te dragen! Voor de zekerheid heb ik vandaag vast een uurtje op de pumps rondgelopen, om aan de hakken te wennen.

De slaapplaats is wél een probleem. Het is nog niet honderd procent zeker dat Ben ook 's nachts zal kunnen blijven slapen, maar áls het kan, moet ik daarop voorbereid zijn. Trouwens, ook als hij aan het eind van de avond weer naar huis gaat, zullen we op enig moment in bed belanden. De gedachte om mijn eerste nacht met Ben in het bed waarop ik Henry gedood heb door te brengen is weerzinwekkend, maar ik zie geen alternatief. Met z'n tweeën in het logeerbedje is echt te krap, nog los van het feit dat ik dat niet uitgelegd krijg, denk ik. Tegenover Ben kan ik moeilijk doen alsof de gedachte aan Henry's vertrek me nog steeds van streek maakt.

Uiteindelijk ben ik vanmiddag de stad in gegaan, waar ik bij de Bijenkorf een prachtige set champagnekleurige lakens gekocht heb. Ze zijn van satijn, heerlijk zacht, ik heb nog nooit zoiets gevoeld. Daar heb ik het bed mee opgemaakt en ik ben er zelfs al even op gaan liggen, wat erg vreemd was. Gelukkig zal ik overmorgen, als ik er samen met Ben lig, weinig tijd hebben om na te denken.

*

Maandag 12 augustus

Nadat ik zo'n beetje de hele dag aan het schoonmaken ben geweest, heb ik vanavond de generale repetitie voor het etentje gehouden. Het ging perfect, de tafel en het eten zagen er mooi uit en alles smaakte heerlijk.

Daar zal het dus niet aan liggen.

Ik ben net uitgebreid in bad geweest, om me een beetje te ontspannen. Want hoewel ik me ontzettend op morgen verheug, ben ik bij vlagen ook bang. Ik maak me zorgen over de seks. Als ik het met Ben óók verschrikkelijk vind, valt heel mijn toekomstplan in duigen – hij zal Carolina niet in willen wisselen voor een andere vrouw die ook plichtmatig met hem vrijt.

Terwijl ik in bad lag, moest ik aan Carolina en háár dagelijkse bad denken.

Opeens schoot het door me heen dat ze haar afspraak af zou kunnen zeggen als ze zich morgenochtend niet goed voelt. Ik raakte eerst helemaal in paniek en vervolgens werd ik woest. Het zou echt iets voor haar zijn om na al mijn zorgvuldige voorbereidingen op het laatste moment roet in het eten te gooien.

Nu probeer ik moed te putten uit de gedachte dat ze zich vooral 's ochtends rot voelt, dat ze zich na haar bad altijd een stuk beter voelt, dat zei ze zaterdag zelf.

Het zal heus wel goed komen. Hopelijk blijf ik er niet de hele nacht over malen, dan ben ik morgen een wrak.

*

Dinsdag 13 augustus, 10.30 uur

Natuurlijk heb ik wél wakker gelegen, om drie uur vannacht sliep ik nog niet. Misschien is het daarom opeens allemaal zo snel gegaan, zonder plan, impulsief.

Maar goed, het hoeft niet verkeerd te zijn, het zou juist goed uit kunnen pakken. Hoop ik.

Mijn gedachten zijn een chaos, ik kan nog niet helder denken, mijn hart gaat als een razende tekeer en ik zweet over mijn hele lijf. Dat moet wel anders worden, voordat Ben hier op de stoep staat. Ik heb gelukkig nog even de tijd.

Vanochtend was ik rond negenen in de tuin, zogenaamd om onkruid te wieden, maar eigenlijk vooral omdat ik hoopte Carolina te treffen. Ze zat inderdaad op het terras, met de krant en een kop thee.

'Carolina, hallo,' riep ik over de heg.

Haar gezicht was grauw toen ze naar me keek en de moed zakte me in de schoenen.

'Ik voel me hondsberoerd, Linde. Echt vreselijk. Moe, slap, misselijk. Ik heb niet eens de fut om het bad vol te laten lopen.'

'Ach Carolina,' zei ik, een en al medeleven.

Trut! schreeuwde ik vanbinnen. Stomme, slappe hypochondrische trut.

Ik probeerde mijn irritatie niet te laten blijken, in de hoop dat ik haar op de een of andere manier zo ver zou kunnen krijgen dat ze in beweging zou komen. Ze moest weg, het huis uit, de stad uit!

'Zal ík het bad soms even voor je klaarmaken? Dan hoef je er alleen maar in te stappen. Je knapt er altijd van op, toch?'

Ze keek me aan en glimlachte.

'Wat lief, Linde, zou je dat echt willen doen?'

'Natuurlijk,' zei ik, 'dat is een kleine moeite!'

Ik legde mijn harkje neer, trok mijn tuinhandschoenen uit en liep achterom naar haar tuin. Toen ik bij haar was pakte ze mijn arm.

'Linde, ik durf het bijna niet te vragen, zou je nóg iets voor me willen doen?'

Ze had haar ochtendjas aan en zat met haar voeten op een stoel, als een volleerde patiënte. Het kostte me moeite haar niet te slaan.

'Natuurlijk,' zei ik weer, met mijn liefste stem.

'Zou je misschien een beschuitje voor me willen smeren?'

'Ja, hoor, waar staat de beschuit?'

'In het kastje schuin boven het fornuis. Ik wil er graag jam op, alsjeblieft. En Linde, zou je de margarine héél dun willen smeren, van te veel word ik nóg misselijker dan ik al ben!'

Misselijk mens, dacht ik, terwijl ik met een vriendelijke glimlach langs haar heen liep, de keuken in.

'Je bent een schat,' zei ze, toen ik het beschuitje naast haar neerzette.

'Het spreekt voor zich, Carolina, dat ik je een beetje help. Jij was er ook voor mij toen ík het moeilijk had.'

'Mmm,' deed ze.

Ze had al een hap van de beschuit genomen.

Ik aarzelde even.

'Je zou vanmiddag toch op pad gaan, naar Utrecht? Red je dat, denk je?'

Het viel me op dat er een klodder jam uit haar mond gegleden was, die kleefde nu aan haar kin. Terwijl ik op haar antwoord wachtte, concentreerde ik me daarop, ik zag alleen die donkerpaarse vlek op haar bleke gezicht, minachtte de volwassen vrouw die at als een klein, gulzig kind. Ik zag de kin met de jam erop heen en weer gaan.

Carolina schudde haar hoofd. 'Ik denk niet dat ik het aankan, dat hele stuk in de trein...'

'Maar het zal je goed doen er even uit zijn! Na je bad gaat het vast een stuk beter!'

Weer schudde ze haar hoofd.

'Ik heb al afgebeld, vanochtend vroeg, vrijwel meteen nadat Ben vertrokken was. Ik ga hem zo bellen, hij zit nu in een vergadering. Dan kan hij wat boodschappen meebrengen voor het avondeten, want we hebben niets in huis.'

Ik dacht aan alles wat ik in huis gehaald had, voor deze avond.

'Oké,' zei ik.

Het was het enige wat ik kon uitbrengen.

Het leek of mijn hele lichaam ontregeld was. Mijn oren suisden en mijn benen voelden slap, alsof ik er ieder moment doorheen zou kunnen zakken.

'Ik ga het bad vol laten lopen, blijf jij nog even lekker zitten,' zei ik zacht en ging naar binnen. Met twee passen tegelijk rende ik de trap op, naar de badkamer. Ik deed de stop in de afvoer en draaide de kranen open. Terwijl ik onrustig stond te wachten tot het bad vol was, viel mijn oog op de radio, die op een plankje boven het bad stond, vlak naast de vensterbank waar ik bijna een maand geleden in wanhoop overheen geklauterd was.

Ik keek verder de badkamer rond.

Mijn oog viel op een flesje haarverf, dat bij de wasbak stond. Ernaast stond een doosje met wegwerphandschoentjes. Ik trok een handschoentje, dat er gedeeltelijk uitstak, los. Vervolgens pakte ik er nog eentje en stopte ze allebei in mijn broekzak.

Het bad was nu halfvol. Ik voelde aan het badwater, de temperatuur was precies goed. Ik haalde uit mijn andere broekzak een papieren zakdoekje, waarmee ik de kranen afveegde. Carolina zou ze straks dichtdraaien.

'Het bad is over een paar minuten klaar,' zei ik terwijl ik de keuken uit stapte.

'Heerlijk!'

Ze strekte zich tevreden uit, als een verwende poes.

'Ik heb het een beetje aan de warme kant gemaakt, misschien moet je dat nog iets bijstellen. Ik wilde het liever te warm dan te koud hebben, niets is zo vervelend als een koud bad!'

'Je bent een schat, dankjewel.'

Ze zei het op een toon alsof ze een dienstbode toestemming gaf zich terug te trekken.

'Red je het verder?' vroeg ik mierzoet, terwijl ze zich uit haar stoel omhooghees.

'Ja, hoor, nogmaals dank!'

Weg was ze, met een opvallend kwieke tred. Ze keek niet op of om, dus zag ze niet dat ik in de tuin bleef. Zodra ze uit het zicht verdwenen was, ging ik achter haar aan. Naast de keukendeur bleef ik even staan om de handschoentjes aan te trekken. Voorzichtig duwde ik de klink van de deur omlaag. Ik rekende erop dat ze die niet op slot had gedaan, we hadden het er heel lang geleden wel eens over gehad, dat we dat overdag geen van beiden deden zolang we thuis waren.

Inderdaad, de deur gaf mee. Zachtjes duwde ik hem verder open, net wijd genoeg om erdoor te kunnen en trok hem daarna meteen achter me dicht. Even bleef ik doodstil staan. Boven maakte het geluid van stromend water plaats voor een zacht muziekje.

Ik keek op mijn horloge.

Hoe lang zou ik wachten? Vijf minuten?

Ik hield het nog geen drie minuten vol, toen ben ik voetje voor voetje de trap opgegaan.

Eenmaal boven keek ik voorzichtig om een hoekje de gang in. De badkamerdeur was bijna helemaal dicht.

Ik aarzelde.

Ik kon rechtstreeks vanuit de gang naar de badkamer gaan, maar dan zou Carolina me zien zodra ik binnenkwam, het hoofdeinde van het bad was precies tegenover de deur. Om bij de radio te komen moest ik vervolgens nog minstens twee meter afleggen. Stel je voor dat ze in de tussentijd uit het bad zou stappen?

Het zou beter zijn om via de slaapkamer te gaan. Vanuit de slaapkamer was er ook een deur naar de badkamer, die veel dichter bij de radio uitkwam. Die deur lag bovendien minder direct in Carolina's blikveld, wat een eventuele reactie zou vertragen.

Het enige probleem was dat de deur naar de slaapkamer gesloten was en ik wist niet of die bij het opengaan veel geluid zou maken. Als die deur piepte en de tussendeur naar de badkamer openstond, zou Carolina me misschien horen.

Ik besloot de gok te wagen. Tergend langzaam duwde ik de klink van de deur omlaag. Er kwam geen geluid, gelukkig, ook bij het opengaan van de deur niet. In de slaapkamer was het een troep, het bed onopgemaakt, hopen kleren op een stoel. Het contrast met mijn opgeruimde slaapkamer, waar vanavond sfeervolle kaarsjes zouden branden en het bed versierd was met satijnen lakens, kon niet groter zijn.

De deur naar de badkamer stond half open, ik kon de radio zien staan. De opening was wijd genoeg om mij erdoor te laten, ik hoefde de deur niet verder open te duwen.

Als een kat die op het punt staat een vogeltje te bespringen stond ik daar, mijn blik op het doel. Een tel, twee tellen. Toen vloog ik de badkamer in en pakte de radio op.

Het was precies zoals in de film. Vonken spatten uit de radio, zodra die het water raakte. Carolina strekte zich alsof ze een epileptische aanval kreeg, haar ogen draaiden weg. Ik geloof dat ik haar ook hoorde schreeuwen, maar het kan zijn dat ik dat zelf was. Nadat de schreeuw verstomd was hoorde ik alleen nog het zachte geluid van het heen en weer klotsende badwater. Langzaam stierven ook die klanken weg.

Pas toen het helemaal stil was geworden in de badkamer, merkte ik dat ik al die tijd mijn adem in had gehouden.

Stap voor stap ben ik op mijn schreden teruggekeerd, door de badkamer, de slaapkamer, naar de gang. De slaapkamerdeur heb ik zachtjes dichtgedaan, alsof ik nog steeds bang was dat Carolina me zou kunnen horen. Langzaam ben ik verder gegaan, de trap af, door de gang naar de keuken, door de tuin, over het paadje, terug naar mijn eigen grondgebied.

Pas toen ik thuis was en een kop koffie voor mezelf had ingeschonken zag ik dat ik de handschoentjes nog steeds aan had. Ze waren van heel dun plastic gemaakt, ik heb ze in stukken geknipt en door het toilet gespoeld.

*

Woensdag 14 augustus, 00.30 uur

Ben ligt boven te slapen, op de nieuwe satijnen lakens, precies zoals ik gehoopt had. Sowieso is vrijwel alles gelopen zoals ik het gepland had, wat dat betreft kan ik tevreden zijn. Op de regie was niets aan te merken.

Nadat ik de gebeurtenissen van vanochtend van me af had geschreven, ben ik aan de slag gegaan met de voorbereiding van het etentje. Alles was ruim op tijd klaar, om half vijf zat ik klaar in mijn jurkje, haren fris gewassen en in model geföhnd, subtiele make-up precies volgens de instructies van de schoonheidsspecialiste aangebracht, een van de nieuwe geurtjes als een wolk om me heen.

Ik belde naar Bens werk en werd gelukkig door de secretaresse zonder verdere vragen doorverbonden.

'Ben, met mij!'

'Linde... is er iets?'

'Nee, integendeel. Ik zit met smart op je te wachten. Ik heb een uurtje geleden met een smoesje bij jullie aangebeld, maar er werd niet opengedaan, ze is dus vertrokken...'

Terwijl ik het zei nam ik me voor straks vlug nog even aan te gaan bellen, zodat mijn vingerafdruk op de bel zou zitten. Details, details.

'Daar ging ik al helemaal van uit, als ze thuis was gebleven had ze me wel gebeld. Ze was trouwens gisteravond vast van plan om te blijven slapen, twee keer op een dag een treinreis maken zou zeker te veel worden, zei ze.'

'Je blijft bij me, vannacht?'

Ik hoorde hem lachen.

'Tenzij je me wegjaagt!'

'Hoe lang ben je nog bezig?'

'Ik kan hier om half zes vertrekken, veel later zal het niet worden. Daar zorg ik wel voor...'

Weer dat jongensachtige lachje.

'Goed zo. Je komt meteen hierheen, hoop ik?'

'Zonder omwegen!'

Toen ik de hoorn had neergelegd, haalde ik opgelucht adem. Stel je voor dat hij zich thuis even om zou willen kleden, of zou willen douchen voor hij naar me toe kwam. Dan kon ik onze avond samen wel vergeten.

Even flitste het door me heen dat het eigenlijk vreemd was dat hij dat niet wilde. Terwijl ik me in allerlei bochten wrong om me zo aantrekkelijk mogelijk te maken voor hem. Maar mannen zitten wat dat betreft gewoon anders in elkaar.

Vlug deed ik een lange regenjas aan over mijn jurkje en ging de deur uit om bij Carolina aan te bellen. Voor de vorm bleef ik even wachten, belde zelfs nog een keer aan, voor het geval er toevallig aan de overkant van de straat iemand voor het raam zou staan.

Eenmaal terug in mijn eigen huis ging ik zélf voor het raam staan, om Ben zodra hij eraan kwam in de deuropening te kunnen verwelkomen. Ik wilde deze avond met hem delen, koste wat het kost. Ik wilde weten wat hij voor me voelde, vóórdat hij zou ontdekken dat Carolina er niet meer was. Eigenlijk wilde ik proberen een indruk te krijgen of hij voor mij gekozen zou hebben, als het op een keuze aan was gekomen. Ik wilde weten wat hij met mij van plan was.

Daar ben ik wel achter gekomen, vanavond.

Toen Ben om tien over vijf zijn auto op de oprit parkeerde, stond ik in mijn hal lachend op hem te wachten. Hij stapte uit en keek naar me, over het dak van de auto heen, liet zijn ogen waarderend over mijn lichaam glijden en glimlachte zijn scheve kwajongenslach.

Ik lachte terug. Blij. Vrij.

Hij liep naar me toe en duwde me voor zich uit naar binnen. In de hal drukte hij me tegen de muur en kuste me, terwijl zijn handen door mijn haar woelden. Een gevoel van gelukzaligheid verspreidde zich door mijn lichaam. Ik verwachtte zijn handen overal te voelen, op mijn borsten, mijn billen. Maar hij zoende me alleen, daar in de hal, mijn hoofd teder in zijn handen.

Na een minuut of vijf liet hij me los. Hij deed een stap naar achteren en keek naar me. Even voelde ik iets van schaamte, omdat ik daar rood en verhit met verwarde haren stond te verlangen naar méér. Toen hernam ik mezelf.

'Heb je honger, Ben?'

Terwijl ik het zei streek ik mijn haren glad.

'Ja, het ruikt hier heerlijk.'

Hij stak zijn neus in mijn hals, kuste me net onder mijn oor. Ik had het gevoel dat ik op een heerlijke manier in brand stond.

'Wacht!' riep hij toen verschrikt, en liet me abrupt los. 'We vergeten iets!'

'Wat dan?' vroeg ik bezorgd.

'Ik moet even naar huis...'

'Ben, néé!'

De paniek golfde door mijn lijf, ik wilde hem vastpakken, tegenhouden, hem smeken om niet de deur uit te gaan.

'Rustig, ik ben niet meer dan twee tellen weg,' zei hij en streelde geruststellend mijn wang. 'De telefoon doorschakelen, weet je nog?'

Ik kon wel huilen van opluchting.

Voor de zekerheid bleef ik in de deuropening op hem wachten, in gedachten volgde ik zijn gang door het huis. Hij bleef geen seconde langer weg dan nodig was.

Terug in mijn huis liep hij voor me uit door de gang, op weg naar de huiskamer. Pas toen drong het tot me door dat hij zonder het bij me na te vragen ervan uitging dat ik inderdaad een telefoon met nummermelder had aangeschaft, zoals hij me gevraagd had. Het was een duur ding, niet echt iets voor iemand die de broekriem aan moet halen.

'Kom,' zei ik en leidde hem naar de achterkamer, waar de gedekte tafel voor de openstaande tuindeuren op ons wachtte. De kaarsen brandden, wijn fonkelde dieprood in de glazen. Ik pakte ze op en gaf er een aan hem.

'Op ons,' proostte ik.

'Op ons!'

Tijdens het eten praatten we beschaafd, alsof we toevallig tijdens een of andere sociale verplichting naast elkaar waren beland. Niet echt gespannen, maar ook niet echt vrij. Er waren te veel onderwerpen die ik wilde vermijden. Ik wilde niet over Carolina en haar zwangerschap praten en zeker niet over Henry, maar op de een of andere manier leek het opeens alsof vrijwel alles daarmee te maken had.

Dus stelde ik hem vragen over zijn werk, over de golfclub waar hij in de weekends kwam, over een reünie die hij in het voorjaar gehad had, van zijn jaarclub uit zijn studententijd. Ik vroeg, hij antwoordde. Beleefd. Geamuseerd.

Toen we het toetje op hadden boog hij zich naar me toe en nam mijn kin in zijn hand.

'Nu we elkaar wat beter hebben leren kennen zou ik graag met je naar boven gaan.'

Mijn handen begonnen te trillen. Om dat te verbergen vouwde ik ze in elkaar, maar Ben had het toch gezien.

'Kom,' zei hij.

Hij pakte mijn handen vast, vouwde ze open, kuste eerst mijn vingertoppen, toen mijn handpalmen, mijn polsen.

Langzaam gingen zijn lippen verder omhoog, naar mijn ellebogen, naar mijn schouders, van de ene arm naar de andere. Toen hij bij mijn hals was aangekomen stopte hij en keek me aan.

'Voel je je beter nu?'

Ik kon niets uitbrengen, alleen knikken.

'Kom,' herhaalde hij en met mijn hand in de zijne liepen we naar boven.

Ben duwde de deur van de slaapkamer open. Aan weerszijden van het bed brandden grote stompkaarsen, de satijnen lakens weerspiegelden het zachte licht. De gordijnen, die ik half dicht had getrokken, bolden op door een briesje dat door de openstaande balkondeuren waaide.

We gingen de kamer in, Ben sloot de deur. Toen kleedde hij me met zachte handen uit, heel zorgvuldig, alsof hij een verpleger was en ik een patiënt. Daarna kleedde ik hem uit, ik maakte zijn stropdas los, knoopte zijn overhemd open en liet het op de grond vallen. Achter hem zag ik in de spiegel zijn rug, zijn brede schouders, zijn sterke armen. Ik maakte zijn schoenen los, zijn broek. Alles ging uit.

Hij leidde me naar het bed en gebaarde dat ik moest gaan liggen. Hij ging zelf ook liggen, naast me in de kussens, zijn gezicht naar me toe gekeerd. We raakten elkaar nog niet aan.

Met één vinger streek Ben over mijn wenkbrauwen, mijn neus, over mijn lippen.

'Weet je wat ik graag wil, Linde?'

Mijn stem weigerde dienst. Ik moest eerst mijn keel schrapen, voor ik wat uit kon brengen.

'Wat wil je, Ben?'

Mijn stem klonk bijna smekend. Ik wilde hem alles geven, op dat moment, alles wat hij vroeg zou ik voor hem doen. Ik was nergens meer bang voor, er was niets wat ik niet zou willen proberen voor deze man, met deze man.

'Ik wil graag weten hoe je het gedaan hebt.'

Klonk zijn stem anders, of leek dat maar zo?

Ergens in een uithoek van mijn hoofd begon een alarmbelletje te rinkelen, zachtjes nog, maar verontrustend genoeg om de roes waarin ik geraakt was te doorbreken.

Ben was inmiddels op zijn rug gaan liggen, zijn handen onder zijn hoofd.

'Ik heb een beter plan, ik vertel je hoe ik dénk dat je het gedaan hebt en jij vertelt me of het klopt!'

Ik kon niets uitbrengen.

'Toe, Linde, niet zo verschrikt. Je bent een grote meid, toch? Je hebt wel voor hetere vuren gestaan, als ik me niet vergis.'

Hij lachte, dezelfde lach als ik door de telefoon gehoord had, toen ik hem op zijn werk belde. Het moest dezelfde lach zijn, maar hij klonk totaal anders.

'Je hebt het hier gedaan, in deze kamer, denk ik?'

Hij keek me aan, maar ik zei niets. Ik voelde me vreemd, licht in mijn hoofd, alsof ik aanwezig was zonder er echt te zijn. Zijn stem leek van heel ver te komen, alsof hij aan de andere kant van een tunnel stond. Omdat ik niet meer naast hem wilde liggen, duwde ik mezelf overeind, stapte van het bed af, liep naar de deur.

Maar ik kon niet weg, ik moest horen wat hij ging zeggen.

Ik bleef staan met mijn rug tegen de muur en keek hem aan.

Ben keek terug, een geamuseerde blik in zijn ogen. Hij liet een korte stilte vallen en vervolgde toen zijn verhaal.

'Ik ben hier wezen kijken, de dag nadat je op vakantie was gegaan, toen heb ik zogenaamd om Carolina te ontlasten aangeboden je post weg te halen en de plantjes water te geven. Je had je sporen goed uitgewist, daar ben je wel even mee bezig geweest, denk ik?'

Weer die blik.

Toen ik niet reageerde, gleed er een geamuseerd lachje over Bens gezicht.

'Zoals je wilt,' zei hij.

Terwijl ik naar hem stond te kijken realiseerde ik me dat hij precies op de plek lag waar Henry had gelegen toen hij stierf.

'Het enige wat ik heb kunnen ontdekken was dat de poten van het bed aan de bovenkant schoner waren dan beneden. Alsof er iets omheen had gezeten. Alsof je er iets omheen had gebonden.'

Hij keek me aan, zijn wenkbrauwen opgetrokken.

'Zit ik goed?'

Ongewild moet ik iets uitgestraald hebben dat zijn vermoeden bevestigde, want Ben gooide zijn hoofd in zijn nek en lachte.

'Jeetjemina, Linde, niet te geloven. Ik dacht het al wel, maar ik vínd het wat... Niet te geloven, die arme Henry.'

Hij schudde met zijn hoofd.

'Hij dacht natuurlijk dat zijn stoutste dromen uit gingen komen...'

Ben keek me aan.

'Je hebt hem gestoken, hè? Je hebt hem eerst vastgebonden en toen heb je hem doodgestoken. Je had die avond bloed op je gezicht. Het rook hier trouwens ook naar bloed, die zaterdag nadat je vertrokken was.'

Ben snoof een paar keer demonstratief.

'Nee, de geur is nu weg, dáár kunnen ze je niet meer op pakken.'

Ik wilde hem weg hebben. Deze nare, cynische man moest weg, uit mijn bed, mijn huis, mijn leven.

'Ik wil dat je nu...'
Ben praatte door, alsof ik lucht was.
'Linde, Linde, ik zal op mijn hoede moeten zijn, als we samen zijn. Mij zul je in ieder geval nooit kunnen verleiden tot het inbouwen van *bondage* in onze vrijpartijen!'
Ik had zo vreselijk genoeg van die man.
'Ben!' zei ik, nu veel harder.
Hij keek me aan, het scheve lachje op zijn gezicht. Nu zag ik pas dat het eigenlijk een heel arrogant lachje was, het lachje van iemand die zich boven anderen stelt, zich ten koste van hen amuseert.
'Je hoeft je écht geen zorgen te maken dat ik je tijdens onze vrijpartijen vast zal willen binden. Weet je waarom?'
Mijn ogen schoten vuur. Ik raapte zijn kleren op van de grond en gooide ze naar hem toe.
'Omdat er helemaal geen vrijpartijen komen, tussen jou en mij.'
We keken elkaar aan.
Even voelde ik me sterk. Vrij.
Toen haalde Ben één hand onder zijn hoofd vandaan, pakte de kleren op en gooide ze van het bed af, op de grond. Hij glimlachte weer en klopte vervolgens met zijn hand op het bed, op de plek waar ik zojuist gelegen had.
'Toch wel, meisje,' zei hij.

*

Dankwoord

Graag wil ik een aantal mensen bedanken die mij in de periode die voorafging aan de uitgave van dit boek bij het schrijven aangemoedigd hebben.

Petra was de eerste aan wie ik *Vrij* liet lezen. Haar enthousiasme gaf me de moed om ermee door te gaan. Can, mijn ouders, Heleen en Irene lazen teksten, gaven kritisch commentaar, vergezelden me naar prijsuitreikingen en leefden mee met de ups en downs die het schrijven met zich meebracht.

Mijn dank gaat in het bijzonder uit naar Peter Claessens, de redacteur die in een stapeltje korte verhalen aanleiding zag om me uit te nodigen voor een gesprek op de Herengracht. Zijn bemoedigende commentaar op eerdere versies van het manuscript en zijn waardering voor mijn stijl gaven me vleugels bij het voltooien van *Vrij*.

OKANAGAN REGIONAL LIBRARY
3 3132 02631 2399